[Nossa Éditions]

Sous mes pieds, mon corps
Marcia Tiburi

Traduit du portugais [Brésil] par Stéphane Chao

À mes sœurs.

Même lorsqu'elles sont prisonnières des fils épais qui forment la matière de la vie et nous accrochent au sol, les choses pèsent dans l'air. Lâchées dans la matière de la durée, elles pèsent hors du temps.
H. S. BORGES

1

Pendant des années, j'ai voulu me rendre sur la tombe dont la plaque funéraire porte mon nom, Alice de Souza, née le 3/12/1953, décédée le 6/4/1972. C'est mon anniversaire, et je prolongerai jusqu'à Pacaembu la promenade qui me mène habituellement de la place de la République à mon appartement de l'édifice Copan, où je passerai le restant de la journée la télévision allumée sans le son et où je m'endormirai en lisant un livre quelconque devant les fantômes de l'écran. Un trajet peu ordinaire, même pour moi qui suis habituée aux chemins peu ordinaires. Je peux perdre mon temps à parcourir des kilomètres, je peux arpenter millimètres par millimètres cette ville lacérée, jusqu'à ce que la mort s'ensuive.

Mon itinéraire s'achève au cimetière, là où se termine l'aventure humaine quand on a la chance qu'elle ne se termine pas plus mal : il y a là une sorte de calembour et en même temps, c'est une possibilité qu'il faut prendre toujours plus au sérieux. Trouver la mort dans une grande ville où sévit une guerre de tous contre tous qui s'intensifie chaque jour davantage, ne relève pas de la simple probabilité. Dans la guerre entre voyous et policiers où l'on ne sait plus qui est qui, dans cette guerre ordinaire des mégalopoles gangrénées, il y a certainement moins de possibles que de balles perdues. Malgré tout, les gens se promènent comme je le fais par cette après-midi venteuse, en proie à une espèce de doute sur le sens de la vie, qui m'aide à oublier la peur.

Tous les chemins mènent tôt ou tard au cimetière, me dis-je à moi-même, tout en cherchant un moyen de raccourcir le trajet. Je ne peux pas m'empêcher de penser : vivre et mourir sont les deux faces d'une même pièce qui est le temps. Le corps mort de São Paulo, ses rues engorgées et la sensation paradoxale d'aller lentement pour pouvoir arriver en avance, voilà ce qui me vient à l'esprit. Bien qu'on soit en décembre, il fait froid et la grisaille s'accorde parfaitement à la promenade. Je respire un air pesant et je me débats avec cette question du temps qui se confondrait avec la vie. Affranchie de toute peur, maîtresse de ma propre durée et n'ayant rien à perdre, je suis à chaque instant davantage convaincue d'avoir choisi le bon chemin. Plus d'un an sans pluie, dit une vendeuse de serpillères à une femme qui fait la manche, assise au pied d'un mur. Je me demande qui pourrait vouloir de serpillères si blanches dans une ville imprégnée par la fumée. Ce sont des illusions que l'on vend, pas des objets, me dit l'une d'elles. Un cycliste passe sur la piste dédiée, affublé d'un masque à gaz. Une femme qui tient trois chiens en laisse et porte un pourceau sur les genoux, fait de l'ombre à une autre femme, enceinte, qui dessine des graffitis sur le mur d'un immeuble de l'une de ces communautés fermées qui semblent plus sures que les autres. Celle-ci trace des slogans incompréhensibles et dessine des fleurs colorées qui n'existent plus dans la réalité. Elles n'affichent pas la moindre préoccupation devant le pire des mondes que l'on puisse connaître, lorsque la police les emmène en prison l'une parce qu'elle faisait des graffitis sur le mur, l'autre pour complicité. Je me demande comment on peut être enceinte à une époque où il est devenu impossible de convier quiconque à participer de ce monde.

Je pense aux gens qui veulent encore avoir des enfants et j'en ai la chair de poule. Le shopping center Higienópolis, squatté par des SDF, y compris des enfants, possède un Starbucks au rez-de-chaussée, indifférent à cette misère. L'élégance ringarde des magasins a cédé la place à des campements. Les murs sont graffités, les escalators à l'arrêt. Les toilettes exhalent une odeur d'égout insupportable. Je me pince le nez en achetant une bouteille d'eau pour un prix qui excède de loin l'intensité de ma soif. Les vigiles du café qui empêchent l'intrusion des crève-la-faim ont des mitraillettes à la main et permettent l'entrée des personnes correctement habillées. L'eau est presque aussi chère que celle qui nous arrive par le robinet en provenance directe du volume mort qu'est le réservoir de l'État administré par le gouverneur, dont le corps est miné par un cancer inconnu de la science, et qui boit un verre de whisky pour oublier le nombre de jours qu'il lui reste.

Aberrant, absence totale de logique, aurais-je dit il y a peu de temps, lorsque je ne m'étais pas aperçue que la ville était un organisme vivant qui s'habitue à tout. Il fait jour et c'est l'après-midi, il me vient encore à l'esprit, comme un rêve, les images de ce bassin rempli de merde, d'un enfant pendu, de cadavres enveloppés dans des gazes et éparpillés dans les rues. Une fois rentrée chez moi, je me demande si c'est une faiblesse d'esprit ou une chance de pouvoir dormir dans ce contexte d'inquiétude.

C'est la première fois que je me rends au cimetière d'Araçá et par chance, je suis armée d'une patience que je porte en moi depuis des décennies, une patience qui s'accroche à l'espoir que j'ai le temps, que j'arriverai à ma destination pas à pas et sans grand effort. Je ne dis pas cela sans étonnement, et pour cause, le nom que je lirai sur la pierre tombale dans quelques minutes est le mien. Je marche sans hâte dans les ruelles, sillonnant cette ville des morts au cœur de la ville des vivants, sans personne aux alentours sinon ses habitants éternels. Parfois un employé parcourt les travées, je pense à discuter avec lui, à lui demander des informations, gagnant ainsi du temps pour trouver la tombe que je peux dire être la mienne. En dialoguant avec le fossoyeur, je pourrais découvrir des aspects intéressants de cette ville silencieuse au sein de la grande ville bruyante où vivent ceux qui un jour mourront. Mais j'ai peur d'importuner ce travailleur de la mort avec ma curiosité de vivante, caractéristique qui me fait appartenir à ce côté-ci de la géographie du temps. Je me dis que gagner du temps et s'impatienter sont des problèmes de vivant, pensée qui m'effraie moi-même ; je cherche mon chemin et je suis toujours en quête de l'espace qui m'est assigné à l'intérieur du cimetière. Une brise ironique parachève ma promenade.

Je me retrouve devant la tombe de Cacilda Becker et je m'arrête pour la contempler en remerciant le dieu du hasard de rendre ma visite moins inhospitalière.

Il y a des gens qui, en visitant un musée, évitent de se rendre devant un tableau qu'ils désirent voir plus que tout autre. Je me souviens d'être allée à Amsterdam pour contempler « La laitière » de Vermeer et que je l'ai évitée une fois arrivée dans la salle où se trouvait le tableau. Sur le chemin qui m'y menait, un portrait de Van Gogh m'a occupé pendant plus d'une heure. Dans le cimetière maintenant, comme naguère au musée, je joue la montre. Il est vrai que le manque d'empressement découle en partie d'une volonté de ne pas arriver à mon but. J'ai raison d'avoir peur de l'impact éventuel et de la possibilité d'être en partie déçue.

Je m'arrête pour lire la plaque funéraire sur la tombe de Cacilda Becker. Je ne peux pas me laisser impressionner par sa mort précoce. La date de sa naissance coïncide avec le jour de ma mort et cela me touche d'une certaine manière. J'ai entendu dire qu'elle est morte sur scène et j'en conclus que l'actrice faisait ce qu'elle aimait par-dessus tout à cet instant limite de la vie, où il n'y a presque plus rien de vivant. La lame de la convoitise pénètre mon corps, me causant un frisson proportionnel au sentiment de misère qui prévaut à cet instant. C'est pendant l'entracte de « En attendant Godot » de Beckett, d'après ce que je sais, que Cacilda a fait un malaise. J'ai déjà assisté plusieurs fois à cette pièce, à vrai dire, c'est la seule pièce de Beckett que j'ai vue de toute ma vie. J'essaie de me souvenir du texte. Estragon et Vladimir, l'enfant avertissant que Godot ne vient pas. Les parents des protagonistes ne m'apparaissent pas nettement.

Méditant sur la brièveté de la vie, je pense aux êtres de l'autre monde et je lève les yeux vers une tombe toute proche, qui aurait été côte à côte avec celle de Cacilda, si elle n'en avait pas été séparée par une troisième tombe, et je m'aperçois alors que je ne suis pas seule.

Je contemple la scène en attendant que l'image s'évanouisse ou que la personne, à supposer qu'elle soit de chair et de sang, se retire une fois pour toutes. En la regardant arracher les mauvaises herbes qui poussent autour de la tombe, alors que toutes les autres plantes susceptibles de pousser en cette saison se sont asséchées, je devine à ses cheveux abondants et noirs, comme ceux d'Adriana dont elle a également la stature, qu'elle a trente et quelques années, peut-être quarante. Elle dépose un bouquet de roses en plastic sur la tombe. Je m'approche sans faire de bruit, convaincue que les fantômes sont fugaces, ceux du moins que j'ai vus au cours de ma vie. Je suis surprise de la voir contempler avec un air grave la tombe que je recherche moi aussi. La tombe qui, d'une certaine manière, est la mienne.

Il y a quelque chose de solennel, un voile rituel recouvre cette scène. Je dois respecter la singularité de cette circonstance, mais la curiosité vole comme un oiseau fou à travers la nuit et qui se confond avec ses propres battements d'ailes. Elle fait resurgir la vie passée en un mélange de scènes indiscernables. Recroquevillée sur mon intériorité pétrifiée, je questionne la présence de quelqu'un qui se trouve là, alors que j'y suis moi-même.

Peut-être que je m'approche trop, que je regarde trop. C'est elle néanmoins qui me demande qui je suis, atteignant avec sa question mon corps sans vie qui flotte sur les eaux stagnantes de l'impuissance. Je cherche à l'esquiver en restant muette. Je fais mine d'être absorbée dans la contemplation de la troisième tombe dont la plaque funéraire en forme de pyramide ne porte pas la moindre inscription. Rien de plus sinistre que des noms de morts effacés, dis-je, un peu déroutée et sans attendre de réponse. Je fais en sorte qu'elle ne remarque pas que je lorgne dans sa direction pendant que je feins de ne pas entendre la question qu'elle m'a posée. Son regard posé sur moi m'oblige à dire quelque chose. Je lui dis que je m'appelle Lúcia et je me défausse en lui disant que je visite la tombe d'une amie. Je désigne celle de Cacilda Becker, transformée immédiatement en complice. Je lui demande également son nom, comme si la simple révélation de celui-ci pouvait dissiper la stupeur que j'éprouve devant un visage si familier. Avec la fermeté de quelqu'un qui s'efforce de donner une impression maximale de patience par un simple acte de parole, elle me répond : Betina.

Betina. Je répète ce mot en espérant qu'il me ramène à la réalité. Ne sachant pas que dire et encore moins que faire, je n'arrive pas à proférer le moindre mot, je dois faire croire que je ne suis pas brésilienne et que je ne maîtrise pas bien le portugais, ou feindre la folie. Je me borne à dire qu'elle a attiré maintenant mon attention en raison de sa ressemblance avec quelqu'un que j'ai connu il y a longtemps. Devant son indifférence à mes paroles, je reste concentrée sur la plaque funéraire d'Alice que je n'ai jamais pu regarder droit dans les yeux, j'ai l'impression de parler toute seule et d'être possédée par le sentiment de l'absurde, je demande à Cacilda Becker de ne pas me laisser seule.

Ici est enterrée ma tante Alice, se dit Betina à elle-même comme si elle me transmettait un secret. *Disparue à l'époque de la dictature,* elle parle en pointant de manière didactique les mots et les dates, l'étoile de la naissance et la croix du décès. *J'ai découvert depuis quelques jours, en conversant avec des gens qui connaissaient ma mère et ma tante, que ma mère vivait encore, quelque part.*

Une goutte de sueur froide coule dans mon dos. Elle manifeste son chagrin, mais elle n'en ajoute pas moins avec ironie, ou est-ce du ressentiment, que *beaucoup ont réussi à fuir, comme ma mère, mais pas Alice. Elle est morte sous la torture*, conclut-elle, comme si elle se concentrait pour parvenir à dire ce qu'elle dit. *Assassinée par l'État*, cette conclusion fait s'ouvrir la terre devant moi et me laisse voir un abîme où le malheur possède mille visages, qui me regardent sans me voir.

Elle baisse la voix, de telle sorte que j'ai dû mal à écouter ce qu'elle dit ensuite. Mon corps tout entier est prisonnier du sol et mes mains ne peuvent plus bouger.

Pardon, tu t'appelles Lúcia, n'est-ce pas, me demande-t-elle. Je perçois alors les grands yeux d'Adriana posés sur moi. *C'est une réunion de famille*, indique-t-elle comme si je dérangeais, et sur un ton ironique qui semble être, depuis lors, sa manière habituelle de s'exprimer, elle insiste, espérant que je comprenne la gravité du moment, de cette rencontre entre parents, et elle ne complète pas son argumentation comme si elle comptait sur l'intelligence d'autrui. Je ne veux pas avoir l'air stupide. Je ne veux pas être intrusive. Mes yeux ne m'appartiennent pas depuis que je la vois. Je n'arrive pas à bouger. *C'est notre première rencontre*, finit-elle par dire comme si j'étais capable de comprendre par moi-même que je dois me retirer. Et de fait, je saisis le message, bien que je ne puisse rien faire. Je comprends que je ne partirai pas, car il m'est impossible à cet instant de bouger, mes pieds s'enracinent dans la terre de ce monde mort, elle me demande de l'excuser sur le ton de quelqu'un qui renonce à commettre un crime devant la stupidité de sa victime et elle me demande ce que je fais là, si par hasard je connaissais Alice.

La perplexité est un serpent venimeux que j'essaie de maîtriser à mains nues. Ma tactique pour éviter sa morsure consiste à lui demander d'expliciter la question qu'elle me pose. À vrai dire, je suis perplexe et un peu ébranlée. Je pense à Cacilda, l'actrice qui gît à côté de la tombe d'Adriana et je me vois entre elles deux, pareille à la morte et à l'actrice, sauf que je ne suis pas morte et en tant qu'actrice je suis plus que nulle, je n'ai plus aucun rôle à jouer dans la vie, bien que je sois la seule survivante. La tombe à la pyramide bizarre dépourvue d'inscription est peut-être mon véritable lieu en ce monde et être en vie n'est peut-être rien d'autre dans mon cas qu'une hallucination, un film d'horreur. Betina s'excuse de me raconter ce qu'elle me raconte, affirmant que ce moment est important pour elle et le fait que quelqu'un en soit le témoin la rend perplexe et la perturbe autant que moi.

Je m'excuse pour le dérangement. Je dois avoir l'air de planer complètement. Elle n'accorde pas d'attention à ce que je dis. Je l'engage à sortir du cimetière, je lui demande si elle ne voudrait pas discuter dans un autre endroit. Il commence à faire nuit et il n'est pas bon de rester seule dans un cimetière, encore moins de marcher sans compagnie dans les rues lorsqu'on est une femme, de nos jours, j'affirme cela non sans manifester une certaine préoccupation. Elle masque la gêne occasionnée soit par ma présence, soit par sa solitude que j'interromps. Ou est-ce ma sollicitude, pense-je maintenant. J'essaie de la convaincre, mais il est peut-être bon de discuter un peu, qui sait, j'ai peut-être quelque chose à dire, je peux peut-être vous aider en quelque chose, dis-je tout en m'apercevant que je suis trop insistante.

Elle ne démontre aucun intérêt, mais elle se justifie en expliquant qu'elle est sortie plus tôt du travail, ce qui n'a pas été facile, que le monde est plein de gens stupides, y compris le gérant de la bijouterie où elle travaille. Elle explique aussi qu'elle repousse cette visite au cimetière depuis des mois, depuis qu'elle a reçu la nouvelle que sa mère était vivante et que sa tante était enterrée ici, et c'est seulement maintenant qu'elle a réussi à venir, et à l'instant même elle doit aller chercher son fils à l'école et c'est pourquoi elle n'a pas le temps de prendre un café ou quelque chose de ce genre, qu'elle n'a pas beaucoup de temps, et surtout pas de temps à perdre. En lui disant que nous pouvons marcher jusqu'au métro et discuter en chemin, je retrouve la capacité de rendre la vie banale, caractéristique qui m'a aidé à en arriver à ce stade, et le malaise qui envahit mes jambes et menace de me faire tomber à tout instant me fait marcher avec plus de fermeté.

Nous marchons dans l'avenue Doutor Arnaldo, où auparavant il y avait un parterre de verdure entre les deux pistes en sens contraires de l'avenue Paulista. Je lui demande où elle habite lorsqu'elle me dit qu'elle prendra le métro à la station dite des cliniques. Elle me répond seulement qu'elle déménage, qu'elle ne sait pas encore où elle va s'installer, comme si elle voulait éviter de donner des informations sur elle. En chemin, il commence à tomber une de ces pluies fines qu'on ne rencontre qu'à São Paulo, ville longtemps appelée le pays du crachin. Ce crachin qui mouille mes cheveux et mes vêtements depuis belle lurette : depuis l'époque où je marchais seule dans les rues, sans parapluie, pendant qu'Adriana tenait des réunions dans l'appartement de la rue Avanhandava qui servait de point de rencontre au groupe d'amis de la guérilla, des réunions qui m'étaient interdites, n'étant pas liée au mouvement et n'ayant sympathisé ni avec eux et ni avec leurs idées que je n'ai jamais pu m'empêcher de trouver étranges.

C'étaient mes heures de liberté. Le monde n'était pas inclus dans cette parenthèse. Je me contentais de ne pas accompagner Adriana. Je n'aimais pas le rôle de vigile que m'avait assigné notre mère. Pour satisfaire son constant contrôle moral, je lui disais sans avoir trop à mentir, une fois arrivées à la maison, que nous avions marché pendant des heures, faisant les vitrines et bavardant avec des amis de l'école. Bien que cette tâche m'ait toujours été confiée, j'arrivais toujours à l'embobiner. Un peu plus tard, lorsqu'Adriana est entrée à la faculté, il suffisait de dire à dona Elza, qui nous attendait pour dîner, que j'étais à la bibliothèque ou dans le patio de la faculté de droit à lire un roman quelconque pendant qu'Adriana était en cours. Ma mère ne me demandait jamais quel livre je lisais. Je n'avais plus besoin de mentir. Il me suffisait d'arriver à la maison à l'heure préalablement fixée pour que les choses suivent leur cours normal sans avoir à rendre de compte outre mesure.

Désormais, le pays du crachin est devenu le pays de la pluie acide, quand par chance il pleut. Après une si longue période sans pluie, les murs se confondent avec l'atmosphère, formant un glacis qui a perdu toute couleur. Tels des couteaux plantés dans la chair, arbres et arbustes parsèment toujours la terre sèche des parterres morts des parcs, des avenues et des anciens jardins des maisons. La partie morte du corps de la planète, pense-je. Un psychopathe parcourt la ville en peignant les murs en gris et tourmente les SDF. Les dernières feuilles d'arbre qui juchaient le sol ont depuis longtemps été balayées. Les branches ont été utilisées par les SDF pour faire du feu le jour et la nuit. Il n'y a pas de vestige de la nature dans ce désert, sauf les arbres les plus vieux qui parviennent encore à puiser de l'eau au fond de la terre. Quiconque s'enhardit encore à se promener seul, à pied ou à bicyclette, dans les environs sait les risques qu'il encoure. Je demande à Betina si elle n'a pas peur du psychopathe qui hante les rues. C'est une légende urbaine, me dit-elle, *c'est seulement le maire qui fait peindre en gris tous les dessins muraux, tous les graffitis*. Elle me regarde alors comme si elle trouvait ma croyance étrange, avec la mine de quelqu'un qui éclaterait de rire si nous étions un tant soit peu intime. Je la remercie pour les éclaircissements, cela fait longtemps que j'ai arrêté d'accorder de l'attention aux politiciens malgré la télévision continuellement allumée disant du bien ou du mal d'eux en fonction des motivations qui transcendent de beaucoup leurs actes.

Aucun de ces politiciens ne parle de la pénurie d'eau qui sévit dans la ville. La télévision occulte ce phénomène, dont nous avons connaissance par le biais de la presse alternative qui est toujours plus souvent escamotée. Betina me fait une place sous un parapluie où elle tient à peine, en me disant qu'elle porte cet ustensile pour ne pas perdre espoir.

Le crachin accentue la fadeur de la scène. Je perçois quelque chose de magique dans cette eau qui tombe directement sur cet enfer, la ville que nous avons en partage. Sous ce parapluie, Betina ressemble beaucoup à Adriana sur une vieille photographie de profil, où elle est d'une tristesse inoubliable. Je marche à côté d'elle, j'évite de la toucher. Dans peu de temps cette image s'effacera, pense-je, tandis que l'odeur d'Adriana me transporte dans mon enfer personnel.

Incapable d'expliquer qui je suis, soudainement saisie d'un courage que je n'ai trouvé dans ma vie que dans les moments de fuite, je lui dis que je ne veux pas l'effrayer, que je dois lui faire une révélation : que, de fait, j'ai connu Alice et Adriana, que je les ai côtoyées de très près. Betina se tait. Elle me donne le parapluie tandis qu'elle cherche un ticket dans les poches de son pantalon. Les noms Alice et Adriana sont prononcés et c'est comme si un mot de passe l'obligeait à demander en secret qui je suis maintenant. Surprise, Betina me dit seulement qu'elle ne peut plus discuter, qu'elle n'a plus le temps, elle me demande pardon, mais il est tard et son fils l'attend. Le crachin s'arrête, elle s'engouffre dans le métro et me laisse seule, le parapluie à la main.

2

Je trouve un profil de Betina dans une de ces dizaines de réseaux sociaux qui existent dans ce monde parallèle qu'est internet. Le nom Betina de Souza flotte seul sous l'image d'un arc-en-ciel comme si elle voulait économiser les informations à une époque où l'exhibitionnisme est la règle. Je prends le parapluie noir à pois blancs comme prétexte pour discuter avec elle. Je lui dis que je l'ai avec moi, que je veux le lui rendre. Elle ne répond pas.

Betina et la pluie sont mes deux expectatives. Je passe mon temps devant l'écran de l'ordinateur en quête de nouvelles. La télévision allumée ne me donne pas l'inspiration nécessaire pour écrire le moindre message. Comme les écrivains qui s'inspirent de morceau de musique, de peintures, de scènes quotidiennes où l'on reconnaît une certaine force poétique, je cherche une idée dans le journal ou la télénovela.

Je raconte cela à Antonio, il ne comprend pas. Je lui dis que j'utiliserai une notice de médicament la prochaine fois, il ne comprend toujours pas. Le manque d'aptitude pour l'ironie, cette carence d'Antonio, me lasse. Je raccroche le téléphone en pensant que dans quelques jours, je lui reparlerai peut-être. Pour le moment, je ne peux penser à rien d'autre. Essayer de comprendre l'apparition de Betina occupe tout mon temps.

Le lendemain, je m'efforce d'améliorer ma manière de m'exprimer. Tandis que je me demande à quoi sert cet écran d'ordinateur qui me fait parler dans le vide, j'écris un nouveau message à Betina pour lui dire que je n'ai pas voulu l'effrayer. Je suis moi-même effrayée et je ne trouve pas de manière intéressante de lui parler. Je préférerais la rencontrer pour voir ce que disent ses yeux. Je lui dis que je n'imaginais pas qu'une des sœurs De Souza ait pu avoir une fille. C'est ainsi que je commence à mentir. À omettre que je suis l'une des deux ou ce qu'il en reste.

J'accumule les mots dans la construction du vide où je vais me noyer en quelques secondes, je décide d'attendre un peu et même dans ce néant de questions, dans cette absence totale de réponse, j'affirme que je suis en état de prouver que j'ai connu Alice et Adriana. Je ne peux pas dire que c'est Adriana qui est morte, et non Alice. Betina croit que sa mère en a réchappé et qu'Alice est morte. Je ne peux pas dire que je suis sa défunte tante. J'ai dû mal à croire qu'Adriana ait eu une fille, mais croire ou ne pas croire est depuis longtemps une question que je ne me pose plus.

* * *

Les jours passent. Je marche dans les rues en observant les gens qui, comme moi, ne vont nulle part. Je m'assieds sur un banc de la place de la République lorsque je me sens fatiguée. Je suis perdue d'une certaine manière : je peux me faire braquer, violer, kidnapper et tuer à cause du simple fait que je ne sache pas où je vais, lacune que je camoufle avec cette tenue de gymnastique, ces tennis de course. La police ne parvient pas à contenir les loqueteux qui s'agglomèrent pour se protéger, et de temps en temps elle les emmène de force dans des endroits inimaginables. Une femme à l'accent du nord vient discuter avec moi, elle veut savoir quelle heure il est et comment l'on fait pour survivre à São Paulo, je la regarde et lui sourit sans savoir que répondre. Je n'ai pas de montre, je me fie aux horloges digitales qui, essaimées dans les rues, semblent contrôler les corps, ou bien je m'en remets au portable que je cache dans mon sac. Une autre femme s'assied à côté de moi pendant que je me repose et après un long silence, elle demande s'il va pleuvoir un jour, je réponds *non*, lui enlevant avec ce mot aussi nécessaire que néfaste tout l'espoir qu'elle pourrait avoir dans la vie. Je lui dis qu'il nous faudra bientôt partir de la ville. Habituée à migrer, elle reprend son chemin sans prendre congé.

Auparavant, un jeune homme en soutane m'a demandé où se trouve le monastère de São Bento, de même que d'autres veulent savoir où sont la mairie, le théâtre municipal, la rue du 25 mars. C'est plaisant de se savoir aussi utile qu'un radar au milieu du chaos urbain. Je me dis que les cendres de Manoel pourraient être répandues dans l'espace vert où germinent les mauvaises herbes et j'évacue tout de suite cette pensée en m'avisant qu'il ne se serait jamais assis sur ce banc comme je le suis maintenant pour contempler simplement la vie et écouter les conversations des passants.

* * *

Je laisse mon ordinateur allumé jour et nuit dans l'attente d'une réponse de Betina à mes messages. Il y a plus de chance qu'il pleuve, pensé-je parfois. Je dors mal et je me réveille dans un état pire encore, et plusieurs jours plus tard, alors que je m'avise qu'elle ne répondra jamais, que Betina est une citoyenne révoltée parmi tant d'autres et qu'elle a délaissé internet, elle m'appelle

Lúcia

Je ne sais pas exactement quoi dire. Je lui demande comment elle va. Elle me dit qu'elle déteste ce mode de communication et elle me propose d'emblée de me rencontrer dans le centre de São Paulo. Le lendemain, nous nous asseyons dans un café près du Copan, où j'habite depuis que je suis arrivée, plus exactement dans l'aile D, avec une vue sur le grand tapis de pollution sous lequel l'humanité a été reléguée d'un coup de balai. Il faudra encore du temps avant qu'elle ne connaisse mon appartement et avant que nous contemplions les hélicoptères de gens fort riches, qui ont mis la main les premiers sur les mines et le pétrole, entrer en collision avec de plus riches encore, propriétaires des rares forêts qui restent. Dans la guerre pour l'eau, mon rôle est de rêver au réservoir rempli de merde. Je confierais à Betina ce type de problème si je pouvais lui parler de ma vie privée.

Betina attendra longtemps avant de venir dans mon appartement. Antonio n'y entrera jamais. J'ai peur de partager avec lui ou tout autre homme cette partie de ma vie, l'endroit où je vis. Peur que des garçons comme lui entrent et ne veuillent plus en sortir. Les services sexuels tarifés sont une garantie de liberté dès lors que les relations ne se maintiennent d'elles-mêmes qu'en apparence. Dès lors que chacun peut simplement échanger ce qu'il a contre ce qu'il n'a pas sans se faire exploiter, le travail sexuel est finalement devenu une possibilité pour les hommes aussi. Rares sont ceux qui ont encore un emploi. Lorsqu'on parvient à échanger quelque chose, ne serait-ce que son corps, on ne meurt pas de faim au moins. Il y en a encore qui s'intéressent au sexe, comme moi. Désir ou nécessité, curiosité ou désœuvrement, je ne sais pas. J'ai peur par-dessus tout qu'Antonio devienne d'une certaine manière une nécessité pour moi, comme je le suis pour lui en ce moment.

Devant une tasse de café au lait qui refroidit et qu'elle n'a pas touchée, Betina ne dit presque rien. Elle veut entendre ce que j'ai à dire sur les sœurs que j'ai côtoyées. En quête de l'instant décisif, de l'articulation qui n'existe pas, je résume à grands traits l'histoire, en essayant de paraître une troisième personne, ce que je suis réellement d'une certaine façon.

Je me demande à haute voix quand tout a commencé, si tant est qu'on puisse parler d'un commencement dans ce cas. *Ce qui aurait pu être* plutôt que *ce qui a réellement été* change le sens de la vérité. Betina m'interrompt pour me dire que je peux être directe comme l'a été Luiz, le curé par lequel elle en est venue à connaître l'existence de sa mère. Je lui demande qui est Luiz. Elle me dit qu'elle préférerait poser les questions. Je ne comprends pas bien ce qu'elle veut dire. Betina me retourne ma question avec un sourire ironique et me dit que Luiz lui a donné une piste sur l'endroit où se trouvait sa mère. Jusqu'alors, elle imaginait que sa mère était morte comme sa tante. Il y a de la souffrance dans cette curiosité.

Je ne parviens pas à retrouver Luiz dans les taches décolorées que sont mes souvenirs. Tout mon effort mental consiste à me souvenir d'Adriana et à me revoir, comme si je m'exprimais à la façon d'une étrangère alors que le sujet est ma propre vie. Que je sois obligée de parler rapidement et d'un seul trait est le moyen que Betina a d'agir sur moi, voilà ce que je pense sans le montrer. Je devrais peut-être le lui dire, mais je le ne fais pas par peur de paraître agressive comme elle-même l'est depuis que nous avons commencé à discuter. Betina ressemble à un inquisiteur avec ses questions oppressantes, son insistance, sa dureté. Je dois être compréhensive, me dis-je à moi-même, sa défiance est un sentiment naturel, explique-je à moi-même à mes risques et périls. En outre, je ne peux pas l'obliger à m'aimer. Si je le pouvais, je le ferais. Toutefois, je ne suis pas obligée de dire ce que je sais et encore moins ce que je ne sais pas. J'ai déjà été contrainte à quelque chose de ce type, à parler sans savoir, à dire n'importe quoi quand, en vérité, je n'avais rien à dire. Je ne m'imaginais pas que je rencontrerais le germe de cette stratégie de survie au quotidien chez une personne aussi jeune que Betina. Je ne sais pas si elle s'aperçoit de ce qu'elle fait. Je respire profondément, effrayée par ce je vois en elle. Elle me rappelle ce que je ne veux pas me rappeler, les temps de la dictature et ceux qui l'ont précédé, lorsque j'étais une autre personne, une personne avec qui j'essaie d'entrer en contact maintenant sans savoir si cela sera possible.

S'il n'y avait pas cette violence voilée induite par l'exigence d'objectivité imposée à mon discours par Betina, ce serait une sorte de dialogue platonicien, un accouchement d'idées où l'effort de mémoire conduit à la découverte de soi, quelque chose comme ça, pense-je, en me souvenant de mes lectures de ces derniers temps. Elle pourrait me demander comment je suis devenue ce que je suis, elle pourrait me demander qui je suis, et je pourrais peut-être lui répondre quelque chose, bien que cette possibilité semble avoir disparu avec la vie qui n'a pas été vécue. La violence de cette contrainte constituée en paroles interrompt le jaillissement de la mémoire. La mémoire ne naît tout bonnement pas, sauf à travers la parole de Betina transformée en forceps qui m'oblige à sortir de moi-même.

Je cherche les détails, je tente de voir ce qu'il me reste de souvenirs. Je vois à l'intérieur de moi une chambre poussiéreuse et close depuis longtemps. Betina force la porte. Je manque de courage pour ouvrir la fenêtre et laisser entrer l'air. Si j'ouvre la fenêtre, je sais que je sauterai, c'est obligé. Forte d'une patience que je porte en moi depuis des siècles comme une réserve d'émotions qui m'est bien utile, je m'aperçois que je suis d'une certaine manière incapable de déterrer ce qui est resté sous le béton armé de mon âme. Malgré tout, à l'image de quelqu'un qui plongerait la main dans un seau d'eau sans toucher la boue qui s'est sédimenté au fond, je procède à une espèce de résumé pendant que des gouttes de sueur froide coule dans mon dos et humecte mon front et mes mains. Je ne sais pas ce que je dis, ma tête me fait mal et un bourdonnement intense blesse mes oreilles comme si j'avais un coléoptère dans le cerveau. Il faut que j'arrête et que je respire. Je frotte mes mains humides contre ma robe. Betina me regarde. Je continue, je suis étrangement ferme devant les grands yeux d'Adriana. Regardant par l'embrasure à travers laquelle la lumière se répand dans la pièce de mon monde intérieur, je raconte que j'ai été enlevée, que j'ai oublié la date exacte où tout a commencé, que je ne me souviens plus de grand-chose. Je raconte que j'ai vécu un temps à Lisbonne et ensuite en Espagne pendant une période bien plus longue, et que je suis revenue au Brésil avec Manoel, parce que telle était sa volonté, peu avant sa mort. Elle me demande qui est Manoel. Je lui raconte que nous nous sommes mariés clandestinement. Elle ne me demande plus rien.

Quelques minutes après cette exposition tout en retenue où je me suis efforcée de dire ce qu'il me paraissait possible de dire, où j'ai élaboré un discours autant que me le permet ce temps qui fuit le passé, Betina continue de me regarder en silence, une cigarette éteinte dans la main droite, alors que dans l'autre un briquet qui ne fonctionne pas cache des préoccupations que je ne peux pas imaginer. Les interrogations naissent des yeux d'Adriana comme des rayons dardés sans hâte. Betina : cette femme silencieuse et inquiète qui se contient devant moi. Je l'imagine enfant ruminant seule ses angoisses dans la rue, se regardant dans le miroir pour se comparer avec les photos de sa mère, demandant d'où elle vient et où elle ira, laissant des marques de sa mélancolie dans son journal intime consigné dans des cahiers toujours incomplets, rapidement abandonnés dans un tiroir, à l'image de la mémoire, parce que la mémoire ne sert à rien si elle ne fait pas à sa manière partie du présent.

J'observe Betina vêtue d'une chemisette en coton délavée, un pull-over noir sur les épaules, les cheveux attachés négligemment, les sourcils épais surplombant ses yeux bleus étonnamment identiques à ceux d'Adriana. Elle dit quelque chose, mais j'ai cessé de l'écouter, la sueur trempe mon corps, ma poitrine et mon ventre. Mon écoute est suspendue et je la vois comme un hologramme, image du passé, fantasmagorie, apparition. C'est cela, une apparition qui ne se dissout pas dans les airs depuis que je l'ai vue l'autre jour au cimetière. Les yeux toujours plus embués, je contemple la scène dont les bords s'effacent.

Distraite par la soif qui augmente au point de se transformer en nausée, je me demande si Betina n'a jamais porté des boucles d'oreilles. C'est alors que tout à coup, je l'entends crier contre moi, comme si elle était possédée par la transe. Je me réveille de ma torpeur. Effrayée, je lui demande pourquoi elle crie. Elle me répond avec un calme qu'elle semble avoir accumulé avec beaucoup d'effort : *Lúcia, tu as disparu*.

* * *

J'ai honte de lui demander ce qu'elle entend par *tu as disparu*. Cela doit être une métaphore et c'est trop puissant pour moi. J'habite ici depuis mon retour, c'est la réponse que je me donne à moi-même tandis que je lui demande quand elle a déménagé à São Paulo.

Mon intention est seulement de récupérer ma propre lucidité. Je prends un verre entier d'eau apporté en hâte par la serveuse à la demande de Betina. Une bouteille d'eau minérale coûte aussi cher qu'une dose de whisky même dans la cafétéria où nous nous sommes assises pour manger à un prix plus modique. Je lui dis que je vais bien, en pensant que je ne suis pas à un mensonge près. Je pleurerais si cet acte était à ma portée.

Betina me dit qu'elle est née ici, je lui demande quand, elle me dit qu'elle n'a pas réussi à trouver la date, que ses grands-parents ont obtenu un certificat de naissance lorsqu'elle était à l'école dans la petite ville de Bom Jesus. Mes grands-parents m'ont tenu lieu de parents dans l'intérieur froid du pays gaucho, me dit-elle.

Je remarque que le froid l'accompagne toujours. Autour d'elle, il fait froid. Je saute la partie géographique de la question pour ne pas avoir à parler de mes parents, et je tâche de traiter le présent et le futur comme des temps plus importants que le passé. Je cache ma peur d'en savoir plus sur le sud en lui demandant ce qu'elle pense faire dorénavant. Elle répond qu'elle ne le sait pas. *Je n'envisage pas de rester à São Paulo. Élever un enfant dans cette ville est une perspective d'avenir effrayante*, et comme si elle cherchait quelque chose, comme si elle recherchait la vérité dans le paysage autour d'elle, elle regarde dehors par la fenêtre à côté de laquelle nous sommes assises, s'abîmant dans une méditation qui me la rend inaccessible. *Les choses vont mal politiquement, la violence, le racisme, l'alimentation industrielle, nous avons perdu notre qualité de vie.* Nous mangeons du plastic, tu t'en aperçois, nous mangeons du plastic, commente-elle, affichant sa perplexité vis-à-vis de ce qui selon moi fait partie de la vie. Je tâche d'écouter Betina, sans me poser plus de questions. *La pénurie d'eau, Lúcia, ne nous permettra pas de continuer à vivre dans cette ville.*

Tout en sachant qu'elle a raison, je m'efforce de conserver une façade d'optimisme, si bien que je souris avec l'air de dire : n'exagère pas. *La seule chose qui m'inspire, c'est la campagne présidentielle*, poursuit-elle. *Il est possible que dans le futur il n'y ait plus d'élections directes et alors le combat sera plus ardu encore.* Elle se tait une seconde. Je l'observe comme si je contemplais un tableau. *Une éducation qui nous transforme nous en robots, voilà ce que je peux offrir à mon fils et je ne peux pas lui garantir le moindre futur, comme tout le monde ici*, ajoute-elle. *J'ai peur que João devienne un idiot ou qu'il se fasse tuer, comme cela arrive partout depuis des décennies aux jeunes pauvres et noirs. Que la victime soit le fils d'un Blanc et vous verrez le scandale.* Je lui demande pourquoi elle a peur si ce sont les enfants noirs qui meurent.

Elle me regarde comme si j'étais une extraterrestre. Je m'aperçois que j'ai commis un impair et j'essaie de me rattraper. Je m'empresse de dire que je peux l'aider à vivre à l'étranger, où elle ne rencontrera pas ce type de problème. Le visage de Betina se contracte lentement comme si ma présence la fatiguait, comme si elle avait besoin de respirer pour pouvoir décider si elle continue ou non de discuter avec moi. Entre ennuyée et perplexe, elle soupire et regarde le plafond et les murs autour d'elle. Ne sachant toujours pas bien quoi dire pour capter son attention, je lui dis que tout est une question de santé et que de fait les gens sont contaminés par le climat général de démence. Et que nous surmonterons cette mauvaise phase. Que le gouvernement issu du coup d'État va bientôt tomber, comme d'autres sont tombés, qu'il y aura des changements positifs. Que les psychopathes qui sont actuellement au pouvoir verront bientôt leurs forces s'étioler. Que les gens auront de meilleures conditions de vie. Que tout le monde aura une maison et une voiture et des appareils électroménagers et pourra se payer une assurance-vie.

Je ne sais pas pourquoi je dis tout cela, mon intention est seulement de la consoler. Elle me demande si je sais dans quel monde nous vivons et j'ai l'impression d'être une espèce d'hallucination placée sous ses yeux qui ressemblent toujours plus à ceux d'Adriana. Elle me regarde, déçue : elle balance la tête d'un côté à l'autre en signe de désapprobation avec la moue de quelqu'un qui perd son temps avec moi. Avec une intensité étrange dans son ton de voix, elle résume son point de vue en disant qu'elle préfèrerait un autre monde, différent.

Moi qui ne sais toujours pas où je suis, ni où je vais, j'ai l'intention de rester au même endroit, voilà ce que je lui réponds sans qu'elle ne m'ait rien demandé. Je lui poserais des questions sur cet autre monde, si nous pouvions de fait discuter. Je ne sais presque rien de Betina, je discute avec elle en essayant de répondre à ses attentes, bien que je ne puisse absolument pas le faire. La ville de São Paulo n'est plus la même que celle que j'ai connue, déclare-je sans attendre des commentaires dans ce grand jeu de dupe auquel nous commençons à nous livrer assise face à face. J'ai peur qu'elle sache qui je suis et qu'elle soit en train de m'éprouver pour savoir jusqu'où je peux aller. Elle allume sa cigarette et n'en tire qu'une bouffée. Hier comme aujourd'hui, le chaos entremêle les fils pourris du temps et de l'espace, décrivant des formes comme la fumée dans les airs. Et c'est là toute la métaphysique de cet instant.

Elle ne dit plus rien. Pause dans la discussion, la cigarette se consume dans le cendrier. Deux femmes à la table d'à côté nous regardent avec mansuétude et l'une d'elles suggère à Betina d'arrêter de fumer. Elle leur sourit à toutes les deux et dit qu'elle a presque fini. Je crains qu'elle ne se lève et s'en aille. Je m'enquiers alors de sa grand-mère, pensant que Betina se sentira encouragée à parler et qu'elle restera un peu plus avec moi. Elle soupire et en éteignant la cigarette sur le bord du cendrier, elle me promet de parler d'elle un jour. Je suis encore assise alors que Betina est déjà debout, et je l'interroge sur Bom Jesus, la petite ville où elle a vécu avec ses grands-parents, cachant le désespoir qui me menace de loin. Elle dit qu'elle n'y est jamais retournée.

C'est alors que, sans crier gare, Betina fixe ses yeux sur moi et s'assied à nouveau. Elle projette tout son corps en avant et me dévisage avec la même intensité qu'Adriana naguère lorsque je disais à notre mère quelque chose que nous n'avions pas convenu. Je ravale ma salive, ce que je camoufle de la meilleure façon possible, en lui demandant ce qui s'est passé. *Elle m'a dit que tu savais. Raconte-moi.*

Sachant que j'ai peu de temps pour penser, les mots sortent de ma bouche comme de vieilles photographies où les images ne se distinguent pas bien les unes des autres. Je suis en quête de cette époque, je recherche un focus. La seule chose qui me vienne à l'esprit, c'est la tristesse qui m'empêche de penser, et je crains que dans quelques secondes la plus grande frayeur que j'ai jamais expérimentée ne parle à ma place. Et à l'instant où je dis à Betina que notre discussion doit aller plus doucement, que j'ai besoin de temps, qu'il n'est pas facile pour moi de raconter ce qui s'est passé avec Alice et Adriana et que, surtout, il y a beaucoup de tristesse dans ce que je sais, que certaines choses devraient être remisées pour ne plus jamais être ressorties, nous prenons congé l'une de l'autre en nous promettant d'avoir cette conversation une prochaine fois. Je regarde Betina s'éloigner et je crie presque : *tu me dois une explication.*

3

Mes pieds sont rivés par terre dès qu'ils atteignent le sol. Ils foulent maintenant pesamment la rue Maria Paula à São Paulo, où mes parents ont vécu pendant des années. Ma sœur, un peu plus âgée que moi, est tout bébé et mon père la porte au cou le jour où ils emménagent dans l'immense appartement dont les portes sont fermées dans ma mémoire. Peu à peu ces portes sont ouvertes par mon imagination et je vois ma mère derrière elles. Elle est enceinte et marche lentement. Longtemps après, je fais mes devoirs sur la table de la cuisine pendant qu'elle discute avec une amie qui la complimente sur sa décoration d'intérieur et le gâteau à l'orange qu'elle lui sert. Elle lui parle de son mari qui voyage beaucoup, de sa fille aînée qui va à l'école l'après-midi et elle lui dit qu'elle est un peu au-dessus de son poids normal qu'elle n'a jamais réussi à retrouver après sa grossesse. Elle raconte alors qu'en arrivant à l'appartement, son corps était si lourd qu'il fallait une grue pour le déplacer. Trente kilos en plus, dit-elle. Assise à la table de la cuisine, j'écoute les bruits venus de la cuisine et j'essaie de me représenter ce corps pesant évoqué par ma mère. Je pense à des nombres, quarante, cinquante, cent, cinq cents, une tonne. Ce doit être un éléphant, voilà ce que j'imagine avec mes yeux de fillette en écoutant l'histoire, et j'imagine un éléphant sur mon cahier. À cette époque, ma mère me paraissait plus jolie sous l'aspect d'un éléphant que sous ses traits véritables.

En raison de cette affaire de poids, ma mère – cette mère que je partage avec Adriana – passe sa vie à faire des régimes amaigrissants. Il ne reste plus qu'à marcher, dit-elle sur le ton de la blague auto explicative qu'elle a toujours aimé employer. C'est sa manière de nous parler, bien qu'elle s'adresse plus souvent à Adriana qu'à moi.

Nous revenons d'une excursion avec l'école et elle nous attend en fin d'après-midi. Elle donne une part de gâteau au chocolat à Adriana en lui demandant comment s'est passé la visite du parc, ce qu'elle a mangé, si elle a vu un paresseux. Elle tend l'assiette à gâteau et le verre de jus d'orange qu'elle vient de presser, et en profite pour arranger la barrette d'Adriana, évitant ainsi que ses cheveux ne tombent sur ses yeux. J'observe les gestes depuis l'endroit où je me suis rencognée. Je suis invisible. Adriana mange rapidement jusqu'à ce qu'il ne reste plus rien, et elle parle de sa professeure qui lui a expliqué le climat, les roches, la végétation et la faune du Jaraguá. Elle fait des commentaires sur les aras et les perroquets. Et elle en profite pour dire qu'il y en a eu un qui s'est posé sur mon épaule et que je n'ai pas bougé. Lorsque ma mère remarque où je suis, elle me demande si je veux aussi ce qu'Adriana vient de manger. Je lui réponds que je n'ai pas faim, de peur de déranger la conversation dont je ne fais pas partie. Ma mère apporte malgré tout une part de gâteau. Comme je m'en souviens maintenant, la part de gâteau est accompagnée d'une fourchette, et il manque le verre de jus d'orange, mais ce n'est peut-être qu'une fantaisie de ma part.

Ma mère raconte toujours la même histoire à toutes les femmes qui n'ont rien d'autre à faire que lui rendre visite : ma sœur est sur les genoux de mon père et moi je suis à l'intérieur de ma mère sous la forme d'un poids qui l'oblige à se traîner. Et cela fait de moi un corps indésirable. J'ai grandi en me demandant comment j'ai pu sortir du corps de ma mère. Moi qui ne bougeais pas, moi restée assise jusqu'à ma venue au monde ; moi née d'un accouchement difficile, si difficile qu'il n'a pas pu être naturel comme celui de ma sœur, pour qui la vie a toujours été plus facile.

Adriana n'avait pas encore un an lorsque je suis née, prématurée, par une journée pluvieuse et froide. Ce froid qui vient du sud, qui avait accompagné mes parents et avait conservé toute son intensité à leur arrivée à São Paulo. Ce froid que je porte en moi, ce froid qui émane de Betina. Ce même froid que nous connaissons depuis le début et qui nous empêche de nous embrasser.

La proximité de nos âges accentuait la ressemblance qui existait entre Adriana et moi. Elza nous habillait avec les mêmes habits, nous incitant à nous identifier l'une à l'autre. Chemise rose à boutons nacrés assortie d'une jupe blanche, chaussettes blanches remontées jusqu'à mi-mollet et chaussures également blanches, voilà quel était notre uniforme de base. Je me souviens de ces vieux habits les week-ends, lorsque nous recevions des visites à la maison, des gens étranges qui me faisaient peur, des oncles et de vieux cousins lointains qui passaient chez nous parce qu'ils n'avaient rien à faire et que je cherchais à éviter en me cachant. En nous voyant habillées de la même façon, main dans la main, selon les ordres de ma mère qui voulait toujours nous voir ensemble, ils demandaient si nous étions jumelles. Adriana souriait et parlait à ces gens, pendant que je dessinais une figure imaginaire quelconque sur la terre d'un parc voisin au moyen d'une branche d'arbre ramassée la veille et conservée sous mon lit à l'insu de notre mère.

Lorsque nous étions toutes petites et même plus tard jeunes filles, nos différences n'ont jamais été aussi peu visibles ; n'étaient les cheveux noirs et épais d'Adriana et les miens frisés, nous serions la même personne, comme ma mère se plaisait à le souligner. La différence radicale, si tant est qu'il y en ait eu une, n'a jamais résidé dans nos caractéristiques physiques. Ma mère aimait à dire qu'Adriana se bougeait, qu'elle était dynamique et pleine d'entrain. Et que moi j'étais lente, que j'étais toujours immobile dans l'espace et dans le temps, que seuls mes cheveux se mouvaient comme les serpents sur la tête de Méduse.

Quand notre mère disait que l'une était plus jolie que l'autre, je me demandais *qui était l'une et qui était l'autre*. Lorsque j'ai commencé à porter des lunettes, ce dont Adriana n'a jamais eu besoin, il est alors devenu clair que j'étais l'autre. Chez l'opticien où j'ai amené la prescription médicale pour faire fabriquer les lunettes, ma mère a dit à la vendeuse que tout me tombait dessus, que j'avais tiré le billet gagnant, que j'avais hérité de la myopie de mon père. Qu'il me fallait des lunettes qui ne changent pas trop mon visage, qui ne lui portent pas trop préjudice. Que j'étais jolie comme ma sœur, qui est restée à la maison et qui a de très beaux cheveux lisses et des yeux bleus, qui est vraiment jolie et à laquelle je ressemble beaucoup.

* * *

Dès qu'Adriana a commencé d'une certaine manière à explorer la vie, me devançant et défrichant les chemins où je passerais par la suite, j'ai occupé la place d'à côté.

Mon rôle a toujours été de marcher derrière elle, de lui emboîter le pas : cela avait été le cas à l'école où je suis entrée avant l'âge appropriée à seule fin de suivre Adriana, ou dans le groupe de catéchèse pour ma première communion que j'ai faite sans jamais comprendre pourquoi je devais assister à une messe où le curé louait la bonté d'enfants comme Adriana, cela avait encore été le cas dans la première fête où je suis allée pour accompagner Adriana sans y avoir la moindre amie pour bavarder, alors que je venais tout juste d'avoir 14 ans et qu'elle en avait déjà 15. Peu importe l'occasion, je n'existais qu'*en tant que sœur d'Adriana*. Elle non. Ma sœur n'a jamais été ma sœur. Adriana a toujours été elle-même.

Ses rédactions impeccables, ses 10 sur 10 dans toutes les disciplines au collège et par la suite dans les premières années de fac, sa gentillesse, sa capacité à éprouver de la compassion pour les plus démunis, son sens de la justice qui la dressait contre ma mère pour me défendre lorsque je ratais l'heure du cours, que je cassais un verre en lavant la vaisselle, que je tachais mes draps blancs avec mon urine : tout cela était les preuves des qualités d'Adriana, qui composaient une liste infinie incluant des aptitudes rares comme jouer à la guitare, être la meilleure danseuse, préparer de délicieux gâteaux au chocolat et surtout se montrer délicate et aimable avec les gens, ce qui n'a jamais été mon point fort. Aux yeux des autres, je me suis toujours arrangée pour ne pas être présente, je cherchais toujours à me cacher ayant peur de tout ce qui pour Adriana apparaissait comme d'une grande simplicité. J'avais peur d'entendre les gens dire certaines choses, peur d'avoir à leur dire quelque chose, peur de l'étiquette qui exige de saluer, serrer la main et faire la bise à ceux qui nous rendaient visite, ces gens auxquels nous devions sourire, lorsque nous les croisions dans la rue avec ma mère.

J'avais peur des compliments que pour sa part Adriana savait si bien recevoir, parce que les miens seraient toujours précédés d'un « toutefois », d'un « mais », de quelque chose en moins par rapport au caractère inconditionnel de ceux qui lui étaient adressés. J'avais peur d'être au centre de la discussion, ne serait-ce qu'une seconde, ce qu'Adriana en revanche savait administrer avec une facilité stupéfiante, de par sa propre nature. Personne n'exigeait de moi la perfection. Mise de côté, vivant dans l'ombre d'Adriana, avec ma chevelure indéfinie et mon absence d'expression, j'étais totalement différente d'elle, bien que vêtue de la même robe, et j'étais condamnée à l'imperfection du simple fait de lui être comparée.

Je n'avais pas besoin de paraître ou de me cacher, personne ne remarquerait mon absence. N'étant pas Adriana, je n'avais qu'à me retrancher dans mon jardin secret, à cette époque une feuille de papier blanc, sur laquelle je dessinais pendant des heures.

Je restais là, absorbée par les traits qui m'aidaient à rendre le monde plus net, jusqu'à ce que ma mère entre dans notre chambre et, en me voyant dessiner, me demande pourquoi je n'apprenais pas à dessiner correctement pour faire le portrait d'Adriana.

* * *

Le portrait d'Adriana est resté inachevé. Lorsque l'événement s'est produit, mes parents sont retournés à Bom-Jesus, d'où ils étaient partis avec Adriana petite. C'était une ville que je ne connaissais pas et qui, à mes yeux de fillette, exprimait une forme d'espoir parce qu'à la grande différence de São Paulo, elle n'était le centre de rien du tout. Ma mère a perdu ses parents quand elle était enfant, elle s'est mariée, est tombée enceinte d'Adriana, a donné le jour à sa première fille et après être tombée enceinte une deuxième fois, elle a quitté cet endroit où elle ne s'imaginait pas revenir un jour. La ville se profilait avec les traits à moitié effacés d'une mémoire empruntée, blanchie par le givre de cette partie-là plus froide de l'intérieur du Rio Grande do Sul. C'est là qu'Adriana est née, ce qui était inattendu à une époque où il n'était pas courant qu'une femme devienne mère pour la première fois après trente ans.

Ma mère a passé un séjour frigorifié de plusieurs mois à Porto Alegre et Curitiba, seule et apeurée, avec Adriana alors tout juste née, pendant que mon père pilotait des avions pour le compte de grands propriétaires, répandant des pesticides sur les plantations de tout le Brésil. Ma mère l'attendait et mon père, bien plus vieux qu'elle lui disait qu'elle aurait dû rester à Bom Jesus pendant qu'il travaillait pour gagner sa vie. Ma mère, qui ne faisait pas grand-chose, se cachait dans le seul endroit où elle pouvait exister, un endroit plus qu'étrange pour une épouse et une mère, un endroit vraiment cruel auquel elle n'avait pas été destinée. Un endroit où l'on peut « être » sans pour autant exister. Ma mère : l'employée de maison chargée de rendre mon père heureux et de nous éduquer. Celle qui devait contrôler pour qu'il ne soit pas dérangé par nos nécessités de fillettes. Mon père : un meuble isolé dans la maison. Je ne me souviens pas d'avoir discuté avec lui une seule fois à ce sujet. Je ne peux rien dire de lui à Betina. Je me souviens seulement de la peur que j'avais de l'avion vénéneux qu'il pilotait.

Je pense à notre mère maintenant, à ce qu'elle dirait en me voyant à cet instant dans l'encadrement de cette fenêtre ouverte sur une ville qui lui ôte sa vie, à un âge très proche de celui qu'elle avait lorsque nous nous sommes vues pour la dernière fois. Je parais beaucoup plus jeune qu'elle, à l'époque. Ma mère est assise sur le canapé devant la télévision, comme elle l'était lorsque je suis passée derrière elle pour aller prendre une pomme sur la table de la cuisine sans qu'elle ne se retourne sur moi. Je ne sais absolument pas si elle se souvient de la dernière fois qu'elle m'a vue. Je n'ai pas la moindre idée de ce qu'elle dirait en me voyant maintenant.

C'est moi que je vois là depuis cette fenêtre. Je suis fatiguée comme sont fatiguées les femmes qui supportent le fardeau du temps, l'ignorance des hommes, la misère des relations, le sentiment indépassable de la mort qui soude les familles. Je la vois soutenir mon père dans sa vieillesse. Mon père et ma mère, deux vieillards esseulés à Bom Jesus, attendant que la mort arrive alors qu'elle est déjà là. Je regarde la ville à travers la fenêtre pendant quelques secondes, puis je saute sur la chaise, après les avoir vus traverser le salon vêtus de noir, ma mère avec une jupe longue comme je n'en ai jamais vue porter, mon père avec son costume qu'il revêt pour des occasions spéciales, le visage grave de quelqu'un qui a vieilli de plusieurs années en un jour. Et saisi par un sens fantasmagorique de la réalité, je me protège de cette vision en essayant de penser à des choses sans queue ni tête.

Je vois l'image de mes parents qui se lèvent du canapé et se dirigent bras dessus bras dessous vers la chambre, en ce jour qui fut pour eux le plus triste de leur vie, où ils ont appris la nouvelle de la mort de leur fille préférée et où ma mère a versé des larmes, et là je dois chercher un soutien. Devant cette image de mes parents marchant dans la maison, que je compose à partir de restes de scènes vécues mêlés à la présence de Betina, je me ressaisis, je me dresse sur mon séant alors que j'étais couché et je me prépare à penser à quelque chose de moins douloureux. Je vois malgré tout ma mère morte comme si elle était la toile de fond de ma vie, son corps sec, sa bouche ouverte, les serpents qui menacent de sortir de sa tête par les oreilles, le nez, la bouche. J'allume la télévision en quête de nouvelles qui me projettent dans la réalité, quelle qu'elle soit. Dans la presse, il n'y a que des publicités pour des billets bon marché pour Miami et des nouvelles sur des braquages commis par des garçons noirs dans les quartiers dévastés par la sécheresse dont personne ne parle. Les images des braquages n'apparaissent pas, seulement la méchanceté du journaliste. La violence réelle qui règne sur la ville est occultée comme l'est la menace de déplacement collectif qui pèse sur la population en raison de la pénurie d'eau. Je pense à tout sauf au futur.

Beaucoup ont déjà quitté la ville. J'ai pensé faire de même à plusieurs reprises, mais pas avant d'avoir trouvé un endroit où déposer les cendres de Manoel. Je ne trouve pas qu'il y ait lieu de se hâter, à la rigueur partir en dernier pour voir ce qui restera ; mais depuis que j'ai rencontré Betina, je ne peux plus partir comme ça. Depuis ce jour, je regarde tout ce qui existe depuis un autre endroit et j'arrive à respirer parce que, aussi incroyable que cela puisse paraître, l'air me semble plus frais.

Je me représente mon père et ma mère dans leur moindre détail, comme le jour où j'ai vu leurs yeux se fermer, pendant les événements sanglants qui changeraient le cours de nos vies. Mes yeux se ferment comme lorsque, encore enfant, je lisais un livre allongée par terre dans le salon : je vois l'image de la planète sur l'écran de la télévision allumée devant laquelle sont assis mes parents et je passe la nuit éveillée à penser que c'est absurde, que cette image d'un monde entier est absurde, parce que les êtres humains que nous sommes et toutes les inventions de l'humanité n'existerions pas si nous regardions le monde en ayant à l'esprit l'immensité de la planète. Depuis lors, je vois le monde avec des yeux empruntés à une caméra dans l'espace, je les ferme par peur de ce que je peux voir. La présence de Betina déplace le focus pour une raison quelconque et je songe à acheter un télescope pour mieux comprendre ce qui se passe réellement hors de l'endroit où je vis et où j'ai appris à me cacher.

Lorsque tout est tombé en ruine, l'illusion devient un bien précieux. Mes parents emportent la leur lorsqu'ils ferment la porte et rendent les clés au propriétaire du numéro 270 de la rue Maria Paula, appartement 301, où nous avons vécu et où j'aimerais dire que nous avons été heureux. Ils s'acquittent du dernier loyer avec des billets que ma mère a glissé dans une enveloppe avec une délicatesse automatisée, soucieuse de sauver les apparences même lorsque rien ne le justifie plus. Ils sortent en silence, transportant les valises que ma mère a faites avec le soin qu'elle mettait dans les choses inutiles, ce qui m'a toujours paru une perte de temps.

Je vois la scène depuis chez nous, je ne l'observe pas du dehors sauf au moment où ils prennent le taxi à la borne au coin de la rue quasiment en face de notre immeuble. La voiture est une Aero Willys identique à celle que mon père avait vendue quelques jours auparavant et qui est si peu nette dans ma mémoire maintenant. Ils vont à l'aéroport en silence, ils n'échangent aucun regard, ils ont honte l'un de l'autre parce qu'ils sont vivants alors que leur fille est morte. L'espoir que l'autre revienne ne permet pas d'approfondir leur douleur. Ils emportent chacun seulement une valise avec le nécessaire pour s'habiller. Le faible poids de leurs valises permet de soulager celui de la mémoire. C'est une comparaison que je ne peux pas éviter maintenant.

J'aimerais dire à Betina que j'imagine que les choses se sont passées de cette manière. Betina est silencieuse comme l'ont été mes parents depuis ce jour, comme moi-même je le suis devenue après les faits. Je pense à eux maintenant, je les vois comme dans un film, comme dans les moments où nous pensons très fort à quelqu'un. Je me demande si Betina est réellement assise dans le salon, à attendre la tasse de café que j'ai promis d'aller chercher dans la cuisine, ou si d'une certaine manière, elle est le fruit de mon imagination.

* * *

Tout en rangeant ses livres d'école dans son petit cartable vert, Adriana me dit *on va fuguer, on va fuguer*. Je ne savais pas pourquoi, je n'ai jamais compris ce désir de fuguer si notre maison était si jolie, si nos parents y étaient restés seuls, si nous ne pourrions plus aller à l'école. Elle ne m'écoutait pas lorsque je demandais pourquoi, et elle disait on va fuguer, on va fuguer, mais quand je lui demandais où, elle me répondait *en Cappadoce*. Je lui demandais où se trouvait la Cappadoce, elle riait en disant que si un jour je le découvrais, je devais le lui dire immédiatement, car personne d'autre ne devait le savoir. Je ne me suis jamais souciée de lui demander comment elle comptait faire pour se rendre à un endroit inconnu. Tout est arrivé avant que je ne puisse demander à Adriana ce qu'il y avait là-bas. Le mot Cappadoce est resté pour moi un nom propre, un nom que je pouvais utiliser pour m'échapper, un nom dont je n'ai jamais su d'où il venait, ni où il pourrait m'amener. Un pur nom sans lieu. Une utopie.

Dans l'obscurité de ma cellule, c'était le seul mot dont je me souvenais, le seul que je prononçais lorsque je ne pouvais plus supporter la douleur, les électrochocs. C'était le mot qui me venait à l'esprit comme si Adriana m'appelait pour fuguer, comme si la Cappadoce était devant nous, non pas dans la pièce où nous étions torturées, au contraire, dans un monde où je serais sauvée, un endroit que l'on pourrait gagner en ouvrant bien les yeux, en se concentrant pour ne pas sentir la douleur, un endroit qui même s'il n'existait pas, serait certainement meilleur que celui que nous connaissions.

Nous avions environ 8 ans à l'époque où Adriana m'a suggéré de fuguer pour la première fois, et nous revenions à cette idée de Cappadoce à chaque fois que la vie était ennuyeuse jusqu'à ce qu'Adriana m'oublie au profit de ses amis de lutte dont je ne faisais pas partie.

* * *

Le soir, à la maison, je n'arrive pas à allumer la télévision. Je ne lis pas. Je ne pense plus à rien. Je me réveille en pleine nuit, après avoir eu beaucoup de mal à m'endormir. Cacilda Becker fume une cigarette, assise au bord du lit pendant que je me regarde comme si j'étais morte. Je lui demande ce qu'elle fait dans ma chambre, et je me réveille de nouveau, suffoquée par l'excès de réalité.

Betina est devenu mon présent. Même Antonio ne m'intéresse plus, à supposer que je ne me sois jamais intéressée à lui. Antonio ou un moyen de ne pas être seule. C'est peut-être cela. Je n'ai pas encore bien examiné les réels motifs pour lesquels je le garde dans ma vie, étant donné que je peux obtenir plus facilement avec d'autres ce que j'ai avec lui. Il sera bientôt sur la place ou au café ou à la porte de la librairie à m'attendre. Et moi, j'attendrai Betina à d'autres endroits qui ne seront ni des places, ni des cafés, ni des librairies, parce que selon elle ces endroits ne sont pas assez neutres.

Je finis par retrouver Betina dans une cafétéria une fois par semaine pendant tout le mois de février, après les fêtes qu'elle n'a pas voulu célébrer et après les vacances dont elle ne m'a pas dit où elle les passerait. Pendant plusieurs semaines, elle ne m'a plus parlé, malgré mes tentatives quotidiennes pour la contacter sur les réseaux sociaux ou par téléphone, réfrénant mon envie de l'avoir près de moi. Impatiente de la rencontrer dans la rue avec son petit garçon, dans un musée ou dans un snack quelconque, je traverse la ville comme l'un de ces rares touristes encore animés par une pure curiosité, et puis je finis par m'habituer à simplement attendre. Si seulement je connaissais son adresse, si je savais au moins le quartier, je pourrais aller à sa rencontre, mais l'exercice de l'attente devient un destin auquel je suis soumise depuis toujours et auquel je m'abandonne également alors que je suis simplement ici et que je ne peux pas dire que j'existe.

Il ne fait pas chaud à São Paulo, même en été, même en ces temps sans pluie, où l'eau, dispensée au compte-goutte, est tarifée. Je me réchauffe en marchant dans la ville. L'espoir de trouver Betina revient à chaque fois que je tourne à un angle de rue. Je marche dans la rue 25 mars et je suis sur le point d'arriver à la rue Paula Souza, lorsque je me souviens qu'elle avait dit avoir commencé à travailler pour un parti sans m'avoir dit comment elle avait résolu finalement le problème de la bijouterie. Elle ne m'a pas dit de quel parti il s'agit, ni ce qu'elle y fait. Betina ne donne pas de détails sur ce qu'elle fait. Son silence est un mode d'être et probablement un moyen de survie. Ou, au contraire, une stratégie de contrôle. Je ne sais pas. J'évite de faire des déductions, en espérant qu'elle m'accorde le même droit : le droit d'interpréter ma propre histoire. Je m'y habitue et en pensant à son désintérêt pour les détails, je parle de manière évasive aussi souvent que je le peux. Elle ne parle pas de son travail peut-être parce qu'elle a honte de ne pas faire une carrière brillante dont les jeunes de son âge s'enorgueillissent encore, de ne pas avoir un poste important dans une de ces grandes entreprises, qui aujourd'hui administrent et organisent la vie d'autrui. Ces jeunes qui quittent le pays, vont vivre dans des villes habitables et gagnent de l'argent en investissant dans des paradis fiscaux. Betina pourrait avoir choisi cette voie toute tracée des enfants de la classe moyenne. Elle est encore jeune, elle pourrait penser qu'elle a toute la vie devant elle, qu'il est encore possible d'inventer d'autres chemins. Elle me paraît parfois tellement pessimiste, peut-être même encore plus que moi qui, il y a peu, trouvais en elle une nouvelle raison de vivre.

Je me mets à visiter tous les sièges et directoires des partis que je trouve dans l'annuaire. Il y en a plus de deux cents, dont la plupart ont été fondés l'année dernière après la réforme électorale. C'est une tendance mondiale et j'ai du pain sur la planche, si je décide vraiment de prendre au sérieux cette recherche.

Je marche tous les jours peu importe où, à pied selon mon habitude depuis que je suis toute petite. Depuis le temps où j'allais au collège, le temps où j'attendais Adriana pour rentrer chez nous, le temps où quelques années plus tard – pratiquement sans occupation – je passais mes journées à arpenter de long en large les rues de Madrid tel un fantôme, comme m'a qualifiée un jour une femme qui restait le plus clair de son temps à la fenêtre de son appartement au rez-de-chaussée d'un immeuble de la banlieue où j'habitais. Avant et après, je continue à marcher. C'est cet avant et cet après que São Paulo, grise et confuse, froide et sèche, m'aide à effacer.

Et puis un jour, voilà Betina dans un bureau de fortune, avenue Ipiranga, entre tracts et bannières, affiches et chaînes hi-fi, micros, cartons de tout type remplis de chemisettes et de tracts. Elle est plus mince et elle a les cheveux plus courts que lorsque je l'ai vue la dernière fois, bien qu'elle porte les mêmes habits de toujours, et elle paraît plus jeune et plus joyeuse. Elle doit être reposée, pense-je, en constatant que la vie de Betina est, à plus d'un titre, la même que celle de toutes les femmes. Elle me parle comme si nous étions de vieilles amies, comme si elle n'avait pas disparu deux mois auparavant.

* * *

C'est l'heure du déjeuner, je l'invite à manger quelque chose à la boulangerie près du directoire. Elle dit que le gouverneur est hospitalisé, qu'il va bientôt mourir. C'est peut-être pour cette raison qu'elle déambule si joyeusement, saluant les SDF, les passants qui marchent en quête de cigarettes, de boisson et d'opium qui, après des siècles, est de nouveau à la mode, vendu dans des petites ampoules appelées jus. Les travestis et autres travailleuses à demi-nues colorent la grisaille de la ville. Sur un tabouret en bois se tient un David pareil à celui de Michel-Ange. Le plâtre qui imite le marbre masque le petit sexe, qu'un arrêté municipal interdit de montrer. Personne ne le regarde avec attention, ni ne jette des pièces dans la boite en carton devant lui, vide jusqu'à maintenant. Les pièces vont au roi rouge et doré qui se produit, tout aussi immobile, sur un tabouret plus haut encore. Les vendeurs de Bible et autres cul-bénis distribuent des tracts sur la fin du monde. *Celui-ci est arrivé trop tard*, me dit Betina, et je ris. Un vendeur d'eau demande la moitié du prix pratiqué par les snacks et les bars, je lui achète deux petites bouteilles, pas convaincue que le liquide soit potable. À mi-chemin, Betina me demande sans aucune raison pourquoi je ne m'affilie pas au parti des travailleuses. *Nous avons besoin de militantes*, me dit-elle, à nouveau sérieuse. Plus ou moins à court de réponse, je lui demande de m'en dire davantage lorsque nous serons attablés pour manger.

Elle dit que les femmes se sont rendues compte qu'elles étaient esclaves de leur famille, mari et enfants, voilà pourquoi le parti croît plus que les autres, et ensuite elle se divertit avec un vendeur ambulant qui lui tend un nez de clown. Betina en achète deux, elle m'en fait cadeau d'un. Je la remercie. Elle rit. Elle dit qu'elle s'est réveillée plus tôt que d'habitude, elle raconte que sa collègue ne quitte pas le directoire, pas même pour déjeuner, tant elle est préoccupée par les élections tout en précisant qu'elle-même n'arrive pas à être à ce point absorbée, qu'elle deviendrait folle si elle n'avait pas ce bouclier d'idéalisme pour supporter la vie et elle me dit qu'elle se sent comme le baron de Münchhausen qui se tire lui-même par les cheveux pour sortir de la boue. Elle me demande si je connais l'histoire et ne me laisse pas le temps de répondre, de même qu'elle ne me laisse pas répondre à la question suivante, me demandant si je suis au courant des propositions des candidats et de l'unique candidate à la présidence. Je ne sais pas si son but est de parler politique avec moi ou de s'épancher. Je réponds que oui, en ce qui concerne Münchhausen, et je lui dis qu'il me faut mieux comprendre la politique. Je sais que la présidente du pays a été déposée et bien que cela soit passé peu d'années auparavant, personne ne parle plus d'elle. Je n'en attendais pas moins, et j'espérais encore moins que les femmes s'organisent pour lancer une candidate, vu l'état actuel des choses. Le pouvoir retourne toujours aux mains de ceux qui l'ont inventé, dis-je sans me préoccuper de ce que cela pouvait réellement signifier. Mes réponses sont confuses. Elle parle de colonisation. Je lui demande ce qu'elle veut dire par là. Betina déclare que, *encore une fois, à en juger par l'histoire qui nous précède, nous n'avons pas de futur* et le regard perdu qui lui est propre revient vers son visage, au risque de nous désunir. Dans les cafétérias de la ville où nous nous rencontrons, à la faveur de la froidure du paradoxal été pauliste, Betina gagne confiance et me parle de son monde, du travail administratif qu'elle effectue au parti et qui consiste à s'occuper de l'emploi du temps, des manifestations, des réunions, des adhésions, le meilleur travail qu'elle pouvait obtenir par les temps qui courent, étant donné sa formation en sociologie. *Certains ont encore foi dans ce pays*, commente-t-elle. Je lui montre que je comprends avec un sourire jaune. *Il vaut mieux travailler comme activiste que dans une bijouterie qui vend des contrefaçons à l'entrée d'un hôtel de luxe pour des étrangers qui viennent là pour faire des affaires en cachette*, elle assure : *Combien de fois j'ai vendu de la verroterie en faisant croire que c'était des diamants*. Je dis que cela ne fait pas grande différence vu que ce qui importe aux gens, c'est s'exhiber. Elle dit qu'elle regrette de contribuer à la misère spirituelle des gens. Elle me parle ensuite de son souhait de poursuivre ses études, de faire un troisième cycle. Elle me dit que diverses urgences et affaires personnelles lui ont toujours imposé de faire passer le travail avant les études. Elle voudrait être libre économiquement. Elle escomptait une vie moins difficile avec João, quitter le pays était devenu impossible depuis les nouvelles lois de contrôle de la population. Il y a trop d'adversité à affronter de nos jours. Je lui dis que je peux l'aider à s'occuper de son garçon pour qu'elle étudie et je ne lui confie pas ce que je pense de l'université pour ne pas décevoir ce qui me semble, à en juger par la manière dont elle s'exprime, être quelque chose comme un rêve personnel. Si João est un problème, je m'occupe de lui, lui dis-je en me proposant de l'aider avec les meilleures intentions du monde. *Non, João n'est pas un problème*, me répond-elle sèchement. Je m'aperçois que ma maladresse met Betina mal à l'aise et, immobile devant un plat de riz et de haricots qu'elle n'a quasiment pas touché, elle me dit qu'elle n'a pas beaucoup de temps, qu'elle doit revenir travailler bientôt, mais que je pourrais profiter de la demi-heure que nous avons devant nous pour discuter de ce qui est vraiment important. Sans prendre la précaution de s'excuser pour la rudesse avec laquelle elle met les pieds dans le plat, elle me fait savoir qu'il est temps de raconter la vérité concernant Adriana. Elle dit qu'il n'est plus possible d'éluder le sujet. Qu'elle a le droit de savoir où est sa mère et qu'elle sait que je sais tout, parce que Luiz le lui a dit. Je me demande ce que je sais et je ne trouve pas de réponse.

L'idée qu'Adriana ait eu une fille met toutes mes pensées sens dessus dessous chaque fois que je m'apprête à en parler. Je recherche ce nom, Luiz, dans les souvenirs effacés que j'ai de cette époque et son image n'apparaît pas sinon comme une ombre dans mon esprit. Seule Adriana est nette. Même Manuel ne l'est pas. Encore moins ce Luiz. Pour Adriana, c'est vraiment différent. Tout se passe comme si elle était assise entre nous deux et me demandait de parler et en même temps de me taire. Maintenant que j'ai Betina à côté de moi, c'est comme si je devais quelque chose à Adriana, ou qu'Adriana me devait quelque chose.

L'idée qu'elle ait survécu est une hypothèse à laquelle je n'avais jamais songé. J'aimerais que ce ne soit pas qu'une fantasmagorie de Betina. Je ne peux pas raconter la vérité sur elle, parce que je ne sais pas moi-même quel fait est le vrai parmi tant d'autres que je dois rechercher dans ma mémoire. Mais bien entendu, Alice est morte et personne n'a cure de ce fait qui, aujourd'hui comme hier, me blesse presque.

* * *

J'arrive chez moi et j'appelle Antonio. Nous convenons de nous retrouver à l'hôtel de la rue Cristóvão Colombo comme les fois précédentes. J'y vais à pied au risque de me faire braquer. Antonio est particulièrement étrange lorsque je le rencontre. Aujourd'hui, je remarque qu'il a un problème d'identité. Ce n'est pas la première fois que je le vois imiter d'autres personnes, et l'heureux élu du jour est un nouvel ami, le cinéaste avec lequel il habite en colocation, une semaine après l'avoir rencontré dans un bar. Il parle du film qu'il fera avec ce nouvel ami. Je ne retiens pas deux minutes ce qu'il me dit. Antonio me fatigue avec ses idées mirobolantes, son indécision sexuelle et ses certitudes lorsqu'il parle de ses projets irréalisables. S'il jacassait moins, il serait plus facile à vivre. J'allume la télévision pour ne pas avoir à l'écouter. Perdu dans son narcissisme, il ne remarque pas que je suis loin, il n'est d'ailleurs pas assez intelligent pour cela. Je sais que je n'avais pas grand-chose à attendre de lui, pourtant j'espère toujours un peu de curiosité de sa part, car notre relation comporte cet ingrédient. De mes autres relations, pense-je, j'ai toujours dû espérer moins encore.

Je descends pour fumer une cigarette, je paie la note d'hôtel et je laisse une enveloppe avec de l'argent, qui doit lui être remise. À ce stade, il dit ne plus vouloir être payé pour ses services, il suffit que je paie les frais d'hôtel. Je prends un taxi et je rentre chez moi. S'il veut me voir après cela, ce ne sera pas un coup de chance pour moi.

* * *

Deux jours plus tard, je rencontre à nouveau Betina à la porte du comité du parti. Elle est pressée. J'insiste pour qu'on prenne un café, elle me tient le bras fermement et me dit qu'elle est fatiguée de mes palabres. Qu'elle ne me reparlera que lorsque je lui dirais où se trouve Adriana. À moitié effrayée, je murmure quelque chose comme pour remplir un espace que Betina m'exige de combler. Je ne sais pas bien ce que je dis. Je commence par lui raconter que j'ai connu sa grand-mère, que celle-ci obligeait Adriana à surveiller Alice alors que c'était exactement le contraire qui se passait. Je demande le nom de la mère des fillettes comme si je l'avais oublié. Elle répond Elza. Je continue, oui c'est ça, Madame Elza, elle était toujours au kiosque à journaux, au supermarché, chez le coiffeur. « Ma mère la connaissait » est une phrase qui m'échappe, rendant le récit un peu plus réaliste.

Je suis préoccupée par ce que je viens de dire. J'ai inventé une mère qui n'existe pas au milieu de tant d'histoires qui auraient besoin d'être simplifiées et résumées pour qu'un minimum de véracité soit respecté. Il est probable qu'Adriana, qui ne savait rien de la guérilla et des opérations en cours, nous ait tous dénoncés, commente-je comme si je n'arrivais pas à m'arrêter de parler de ce que je ne voulais pas faire ou penser consciemment. Je souille la mémoire d'une personne morte, qui est ma propre sœur, et bien que j'en ai conscience, je n'arrive pas à m'arrêter. L'espace d'une seconde cependant, je pense que si Betina a raison et que si Adriana est vivante, elle a peut-être disparu pour toujours par peur de la vérité.

Je me transforme en statue de sel sous les yeux de Betina. Je poursuis. Je sais qu'elle peut supporter ce que je lui dis. J'ai supporté des choses pires, je garde cette phrase silencieuse comme si seul le ressentiment qui est au fond de moi parlait à ma place. N'importe quel mensonge, même le plus grossier, vaut mieux que la vérité que je porte sur ma peau sous la forme de cicatrices devenues invisibles avec le temps. En débusquant les événements enterrés dans ma mémoire, je ne me sens libre de rien sinon de diriger mon attention vers ce que le passé peut signifier, maintenant que je suis confronté à son retour.

Mon cœur se fend. Je me déchire au-dedans en mentant et pourtant je mens au sujet d'Adriana, la chef de file charismatique et bien-aimée du mouvement étudiant, l'élève exemplaire, la fille préférée. Ma sœur. Je pratique un acte que je pourrais éviter s'il ne provenait pas d'une impulsion plus forte que moi.

À cet instant, j'essaie de rassembler les morceaux de mon visage éparpillés dans l'intériorité que j'appelais naguère âme et je vois Adriana entre moi et Betina, qui me demande des éclaircissements, assise devant sa tasse de café qui refroidit. Je joue alors la comédie comme une actrice dont le rôle aurait été supprimé avant que son personnage n'existe.

Devant Betina, je porte un masque, comme si j'inversais les règles du jeu qu'elle pouvait accepter. Et soudain je me retrouve prisonnière de ce que j'invente, de sorte que je suis contrainte de poursuivre l'ouvrage que j'ai commencé à construire. C'est presque involontaire, bien que je sache au fond ce que je fais et ce que j'en attends. J'utilise l'histoire d'Adriana pour construire ce personnage devant Betina. Je m'apprête à sauver Alice de son insignifiance. Je dois partager avec Alice le brio d'Adriana pour que Betina ne pense pas que sa mère était une héroïne et que je ne suis que le personnage secondaire d'une histoire qu'il ne me revenait pas de vivre en entier.

C'est ainsi que je me rends compte combien je connais peu l'histoire d'Adriana. Combien je ne sais presque rien de ma sœur. Je ne sais pas comment elle a pu avoir une fille. Et si Betina dit la vérité ou si elle me ment.

La seule raison que j'ai de la croire, c'est la foi en ce que je ne sais pas encore et en ce que je peux être amenée à savoir. Il y a quelque chose d'effacé. Tout se passe comme si un mensonge, un simulacre, une fiction pouvait nous mettre en contact, c'est pourquoi je m'accroche à ce que je peux raconter, sachant que l'indicible nous épie. Recoller les morceaux de cette histoire m'amènera aux secrets que je cache en moi-même. Et qui sait, aux secrets d'Adriana, aux secrets de Betina, à toute cette face cachée des choses vécues que j'esquive depuis tant d'années.

Betina me demande comment je peux parler de la sorte, comment j'ose dire cela de ma mère. Elle me dit que je fais l'imbécile. Elle m'accuse de fausseté. Pour conférer à mon personnage davantage de vérité, je décide de l'affronter en lui disant qu'elle ne sait pas accepter la réalité. Qu'elle ne s'attende pas à ce que je lui dise ce qu'elle a envie d'entendre. Et inversant les rôles, je lui dis que je vais révéler ce que je sais à la seule condition qu'elle apprenne à me respecter. Sans quoi, nous n'aurons plus rien à nous dire l'une à l'autre. Qu'elle ne va pas aimer la vérité que je vais lui apprendre. Je ne crois pas à ce que je dis et je m'en repens dans les minutes qui suivent. Elle sort de la cafétéria, furieuse. Son café est intact dans la tasse et c'est alors qu'un garçonnet qui vient de la rue, un de plus qui vit là pour échapper à la persécution quotidienne de la police municipale, me demande l'autorisation de le boire. J'achète une part de gâteau à la demande de cet enfant et je me rends compte que je préférerais ne pas exister.

Je cherche Betina partout, elle ne répond pas au téléphone chez elle. Le portable est toujours éteint. Au bureau du parti des travailleuses, on me dit qu'elle n'est plus là. Peut-être n'y est-elle pas en effet. J'ai appris la méfiance, ce qui a singulièrement compliqué ma vie. Je m'enfonce dans le même vide où je rencontre parfois Antonio, dont les problèmes cinématographiques et littéraires ou les nouveaux amis, son livre qui ne sera jamais publié, ne m'intéressent absolument pas. Il aggrave les choses par son incapacité à écouter ce que j'ai à dire sans juger chacun de mes gestes comme une erreur indécrottable. J'aimerais dire la vérité ou tout au moins quelque chose qui s'en rapproche. J'aimerais dire à quelqu'un la vérité ou au moins quelque chose qui s'en rapproche, et Antonio n'est pas cette personne.

5

Il est presque minuit. Je regarde la télévision après avoir passé la journée sans parler à personne. Par la fenêtre, on peut voir la fin du monde qui s'unit au jour et à la nuit. Une vieille émission dominicale transforme en spectacle tout ce que la vie a de fade. Sur l'écran apparaissent des mannequins anorexiques qui défilent avec des habits que peu de gens peuvent porter. C'est une retransmission en direct de New-York, où la vie suit son cours comme si nous, ici, étions concernés, alors que la plupart des magasins de vêtements ont mis la clé sous la porte. Tout de suite après cette séquence, une cérémonie funéraire qui ressemble à une fête d'anniversaire est présentée dans ses moindres détails, cela va de la nourriture servie aux matériaux utilisés pour fabriquer le cercueil. Un présentateur, qui a une tête de poisson mort, appelle des femmes auprès de lui pour un spectacle humiliant : elles doivent se déguiser en animaux et imiter leur cri. Après quoi elles sont aspergées d'eau, de mousse et de boue, et celle qui tient jusqu'à la fin recevra comme récompense la voiture de l'année. Les candidates défilent, toutes à moitié nues ; en ces temps de pénurie, où il n'y a plus de travail, elles s'offrent comme des bouts de viande ou de plastique. Tous les emplois sont occupés par des machines et la vainqueur troquera la voiture par de la nourriture en boite achetée à la frontière paraguayenne. Le présentateur à la tête de poisson est candidat à la présidence de la République et sa campagne est fondée sur une conception nouvelle de la démocratie, dont le slogan est *Une ration de nourriture pour tous*.

La sonnette retentit, me tirant de ma torpeur. C'est Betina, accompagnée de João. Elle a besoin que je m'en occupe pour la soirée.

Je ne lui demande pas où elle va. Elle est habillée comme d'habitude, vêtements délavés, pantalon élimé, sweet-shirt orné d'un dessin de tête de mort. Cette fois, elle a un bonnet sur la tête, un cache-col noir au cou et un sac à dos sur les épaules. Elle me demande de l'eau pour remplir sa bouteille et mon empressement à lui rendre ce service ne me vaut pas le moindre remerciement. Je me demande ce qu'elle va faire ce soir. Elle s'est peut-être trouvé un copain, ou bien elle va coller des affiches pour la campagne de la candidate aux présidentielles, une femme qui est propriétaire de la plus grande entreprise de pompes funèbres du pays, auquel cas elle passera la nuit à poser sur les murs l'image de cette personnalité charismatique et fortunée qui vit encore au Brésil. À moins que tout simplement elle aille retrouver des amis pour boire avec eux. J'accorde tout mon attention à João, dont je viens de faire la connaissance. Faisant diversion, je reporte sur lui toute la surprise que Betina me cause à cet instant, et j'évite de spéculer davantage, oubliant même de lui demander ce qu'elle va réellement faire ce soir.

Depuis ce jour-là, João, qui va à l'école le matin, passe tous les après-midis avec moi, sauf rares exceptions. Il est déjà assez grand pour éprouver le besoin de cacher la baleine en peluche avec laquelle il dort depuis qu'il est tout petit. Alors qu'il est encore sur le seuil de la porte, je lui demande le nom de l'animal, il répond *Baleine*, à moitié honteux d'avoir avec lui un jouet pour enfant. C'est un enfant, mais il aime paraître plus vieux. Maintenant je comprends pourquoi Betina me regardait comme si j'étais une extraterrestre quand je lui parlais des jeunes Noirs qui meurent en plus grand nombre que les autres, victimes de la vague croissante d'assassinats de masse. João est noir, et tout enfant qu'il est, il a conscience de la menace qui pèse sur lui.

João vient souvent tout seul, déjeune avec moi et repart avec Betina en fin d'après-midi, ou alors, lorsqu'elle ne vient pas, il s'endort sur le sofa, épuisé par les heures passées à jouer sur l'ordinateur. Je ne sais pas cuisiner, je n'ai pas la moindre envie d'allumer la gazinière, de laver la vaisselle après avoir fait préparer un peu à manger, lorsque je suis seule. J'achète des plats tout faits au supermarché, nous faisons des sandwiches ou nous mangeons dans un restaurant qui vend de la nourriture au kilo. À Madrid, c'était Manuel qui cuisinait. J'évitais de manger, ce en quoi je n'ai pas changé.

João est encore petit, il n'a pas dix ans, mais il sait faire des œufs sur le plat et laver la vaisselle. Il prend cela comme un jeu, qui lui permet d'acquérir le sens des responsabilités et qui fait donc de lui, d'une certaine manière, un adulte bien avant l'âge. J'ai l'habitude de dire que les hommes d'antan ne s'occupaient pas de la maison. Il me console et je me dis que ce passé est révolu.

Le jour de son anniversaire, nous essayons de faire un gâteau avec un mélange de farine et de ferment prêt à l'emploi, qu'il rapporte du supermarché qui se trouve à mi-chemin entre l'école et l'édifice Copan. Je lui dis qu'il fait preuve de beaucoup d'initiative pour un enfant. Il me rétorque qu'il n'est plus un enfant depuis longtemps, depuis qu'il est né pratiquement. Je ris. J'en profite pour lui dire qu'on a annoncé à la télévision que la nourriture serait rationnée, et j'ajoute que je pense que c'est vrai, bien qu'on ne puisse pas se fier aux informations diffusées par les médias. Il faut toujours se demander pourquoi celles-ci sont présentées de telle ou telle manière. Je lui demande s'il aime regarder la télévision. Il me dit qu'il préfère l'ordinateur. Je lui réponds que ce doit être une affaire de génération, car pour ma part j'ai du mal à me servir de ces engins.

C'est à cet instant qu'il me dit que chez lui, la gazinière n'est pas équipée de four, raison pour laquelle on ne peut pas faire de gâteau. Il ajoute qu'il a déjà fait sa petite enquête dans l'immeuble : il a vu les gazinières des voisins, leurs frigidaires, leurs téléviseurs, et il en a conclu qu'il y avait de tout dans l'immeuble, des riches et des pauvres, et même des très pauvres. Ceux qui dorment dans les loges près de la cage d'escalier ne paient pas, m'informe-t-il. Il me parle alors du loyer que paie sa mère, de son travail, de ses efforts pour qu'ils puissent habiter un jour dans une maison qui n'appartienne qu'à eux, en ces temps où tant de gens vivent dans la rue ou dans des squats. C'est alors que l'enfant me révèle le secret qu'il garde par-devers lui depuis les deux mois ou presque que nous nous connaissons. Depuis pas très longtemps, Betina et lui vivent dans le bloc B du Copan, au numéro 444. Il n'arrive plus à me le cacher et il me dit que sa mère ne veut pas que je le sache. João me demande de garder le secret. Je le lui promets. Je ne vois vraiment pas pourquoi Betina me cache l'endroit où elle habite, ni pourquoi elle ne veut pas que je sache que nous sommes si proches voisines. Je ressens une forme de gêne devant João, peut-être un peu de honte, que j'essaie de dissimuler. Je m'efforce d'exonérer Betina en me disant qu'elle adore les secrets ; et alors que j'observe l'enfant qui n'a pas assez de force pour battre la pâte, je m'aperçois ensuite qu'il lave la vaisselle avec les mêmes gestes méticuleux que ceux de ma mère. Et je ressens un léger malaise.

* * *

Je parle de l'avenir avec Betina. Elle ne m'écoute pas, mais je m'en moque. Je lui prépare un café qu'elle boit avec impatience. Je parle de poésie avec João qui n'arrive pas à se tenir tranquille sur sa chaise. Il fait une pause dans ses devoirs pour avaler un bol de chocolat au lait. Je lui parle de poésie pour qu'il n'oublie pas qu'elle est parfois le seul soutien dans la vie, et j'ai du chagrin en pensant que j'aurais pu aussi enseigner cela à Betina si je l'avais fréquentée depuis son enfance. Je l'imagine alors à l'époque où elle n'était justement qu'une enfant choyée par sa vieille grand-mère, dont la grande préoccupation était le rangement de la maison. Bien que totalement contre-productif, ce type de pensée ne me sort pas de la tête.

Bettina quitte l'appartement après avoir embrassé João, à une époque où les enfants effacent d'un revers de la main ce genre de marque de tendresse. Son départ ne lui fait rien, il a hâte de passer sa matinée du samedi devant l'ordinateur, dont elle limite l'utilisation. Elle ne me voit pas, me salue à peine pour prendre congé de moi, et elle ne dit rien sinon *je t'appelle plus tard* une fois devant l'ascenseur. J'observe attentivement tous ses gestes, surtout la manière dont elle semble scruter un horizon invisible, lorsqu'elle ne me regarde pas avec l'air de quelqu'un qui demande des comptes. Il y a longtemps qu'elle ne me pose plus de question sur Adriana, et je peux vivre en paix grâce à cette ligne d'horizon effacée.

Et moi je marche sur cette ligne invisible où s'écrit l'histoire inracontable de gens comme moi, en espérant ne pas chuter. C'est pour cela que j'ai les yeux fixés sur un point d'équilibre situé en-dehors de moi, qui me rappelle une fois pour toutes qu'il me faut oublier qui je suis.

* * *

Je me plante sur mes pieds au centre de cette ville. J'ai peur d'être reléguée dans les marges, car ces marges dont je viens hantent encore mon corps qui s'achemine lentement dans la vie. Il est impossible de ne pas penser à ce qui me reste à faire, à la part qui m'incombe.

Je réussirai un jour à faire comprendre à João que le centre est partout, sauf à la marge. Les marges sont toujours autour du centre. Il rira alors comme jamais des évidences que j'énonce. Puis on se demandera ce qu'on mangera à dîner, ou alors on se dira qu'il faut quitter la ville comme beaucoup le font en ce moment, en emportant des valises pleines à craquer, à moins qu'on ne prenne comme bagage que les habits que nous avons sur le dos. On ira à la gare routière à bord d'une voiture prêtée ou abandonnée, pour ensuite aller se perdre dans ce qu'il reste du Brésil, ou disparaître après avoir franchi la frontière. Nombre de gens disent qu'il n'y aura plus d'élections, d'autres que le Brésil sera divisé en mille républiques et que nous régressons vers une époque antérieure à l'État, que tout n'est plus que barbarie. Lorsqu'il naît de la solitude, de la misère ou de la guerre, tout choix est libre. Je me fais du souci pour João et Betina. João restera avec moi, ou bien il partira avec Betina dans d'autres pays, il apprendra avec les révolutionnaires armés qui gardent les forêts de plus en plus abîmés par l'intrusion d'envahisseurs. Il est tard. João, qui a joué toute la journée, dort maintenant. Je n'arrive pas à m'imaginer quel sera l'avenir de Betina. Je pense à elle, et j'ai l'impression d'entrer dans un territoire interdit, devant lequel je recule. Betina est trop réelle pour que je puisse l'intégrer à mes rêves. Elle appartient à un monde auquel je n'ai pas accès parce qu'elle-même m'a clairement fait comprendre que je ne peux en faire partie qu'à la condition de payer un droit de péage exorbitant.

On est dimanche. Betina passe chez elle de bonne heure pour se changer. Je sais qu'elle a découché parce que je suis descendue pour vérifier s'il y avait des signes de sa présence dans son appartement. J'ai attendu son retour, en rasant les murs, en me collant contre les portes, et lorsque j'ai pris l'ascenseur, j'ai eu peur de tomber sur elle. Si elle avait été chez elle, j'aurais été obligée de chercher une bonne excuse, que je n'aurais pas trouvée, et il est probable qu'elle se serait mise à me détester encore davantage, parce que je connaîtrais sa vie privée. Je ne suis pas tombée sur elle et comme je ne sais rien de plus sur elle, je suis en droit de penser que notre relation restera la même.

Il n'est pas encore sept heures lorsqu'elle arrive chez moi par la porte de derrière comme si elle voulait passer inaperçue. Elle boit le café qui est dans la cafetière depuis hier soir, non sans dire tout bas que j'aurais pu le préparer ce matin : le soir, selon elle, c'est fait pour se reposer. Je la surprends en flagrant délit. Elle ne sait pas quoi faire. Elle renverse sa tasse, le reste de café qui tombe dans l'évier éclabousse ses habits noirs. Je lui dis qu'elle a de la chance d'être vêtue de noir, elle me répond que même si elle était en blanc, elle n'accorderait pas la moindre importance à ces broutilles, je lui dis alors que de telles taches feraient mauvais effet. Elle me regarde d'un air goguenard, en feignant l'étonnement.

Je dois faire un effort pour ne pas rire de ce petit instant de gêne, qu'elle ne veut pas assumer, enfant qu'elle est. Betina est pleine de règles et de manies. Ses manières méthodiques, ses particularités, ses tiques, tout cela m'amuse. Adriana était comme elle : elle organisait inutilement les choses, accordait de la valeur à des riens. Je me souviens de sa collection de papiers à lettre, de sa garde-robe rangée par couleurs, de ses ongles coupés au millimètre. Pour ma part, j'enfilais le premier vêtement qui me tombait sous la main, je portais les cheveux courts, je me rongeais les ongles. Peut-être que je cherchais à contrebalancer le zèle égotiste d'Adriana, peut-être que je cherchais à assumer ma banalité, à me forger un style à partir de l'absence de tout style. Betina me regarde comme si j'étais sur le point de proférer une nouvelle ineptie.

Gonflée à bloc, je lui rétorque qu'elle aurait le droit de se plaindre si elle savait faire le café. Elle ne répond pas. Elle fait diversion. Je sais que Betina ne met pas souvent les pieds dans la cuisine, João sait faire des sandwiches, préparer les plats tout faits vendus en supermarché, parce qu'il a dû apprendre à survivre sans l'aide d'une mère traditionnelle.

J'ai d'autant moins le courage de lui demander où elle a passé la nuit, qu'elle croit que je dormais. Je me contente de lui demander si elle va bien. Je sais qu'elle n'a pas de petit copain depuis longtemps, qu'elle dort pratiquement toutes les nuits au comité lorsqu'elle n'est pas dans un campement. João dort toujours. Elle essaie de le réveiller, avale une gorgée de café, s'enquiert d'un manteau vert qu'elle ne retrouve plus ; elle essaie encore une fois de réveiller João, qui continue à dormir à poings fermés. Elle pose une chemise rouge à côté de lui et me demande de lui dire que c'est elle qui l'a amenée, elle prend son sac et vole dans ma fruitière une pomme, qu'elle ne lave pas. Puis elle sort en croquant dedans, sans me remercier. Je lui demande à quelle heure elle revient et si je dois dire quelque chose à João. Elle me répond seulement *ne lui parle jamais du comité, les choses ne vont pas bien, je ne veux pas qu'il s'inquiète, je lui expliquerai plus tard ce qui se passe.* Elle disparaît dans l'ascenseur comme si elle n'avait jamais été là.

6

João dort depuis une semaine chez elle. C'est à nouveau dimanche et Betina m'amène l'enfant pour qu'il reste avec moi. Elle va distribuer des tracts toute la journée. Elle est tendue comme d'habitude. Sous ces phrases, il y a un silence dont je n'arrive pas à déchiffrer le sens. Elle m'apprend, sans me regarder dans les yeux, qu'une lettre datée de Bom Jesus est parvenue chez elle, il y a des mois de cela, et que je devrais en prendre connaissance. Je lui demande pourquoi elle me confie cette lettre personnelle, dont le contenu est intimement lié à sa famille. Je lui dis que je ne me sens pas autorisée à l'ouvrir. Elle me regarde, sourcil levé, yeux grand ouverts, à la manière d'Adriana, et elle me dit simplement *Lis-la, je te le demande comme un service*. Il y a un fond d'ironie dans sa phrase, au-delà du simple partage d'informations qu'en apparence elle suggère. Je lui demande presque, à cet instant, pourquoi elle ne laisse pas João monter quelques étages tout seul, mais je me reprends aussitôt pour éviter que Betina ne se rende compte que moi aussi je peux être ironique si je le veux.

Les lettres empêchent l'oubli ; constat d'évidence pour quelqu'un qui, comme moi, a opté pour sa survie au détriment de ses souvenirs. Depuis les événements, j'ai préféré la mort, j'ai décidé de devenir quelqu'un d'autre, d'être Lucia, ou plutôt ce que Lucia aurait pu devenir. Cette perpétuelle guérilla qu'est la vie m'a enseigné à tenir ce rôle. Malgré tout, j'ai eu l'impression de renaître en découvrant l'existence de Betina, la présence quotidienne de João me procure une intense et étrange joie. Je voudrais lui dire que, plus que quiconque, je suis désolée pour Adriana ; je voudrais lui dire que je suis sa tante et que, à ce titre, je suis heureuse de l'avoir rencontrée et de savoir que João existe. Mais j'évite de le dire, Betina me reprocherait d'être mièvrerie et je ne la contredirais pas, même si je ne chercherais, à travers ses paroles, qu'un moyen de me rapprocher d'elle. Un bonheur de papier, me dit un jour João, en faisant des origamis pour l'école, alors que je lui demande comment cela se passe avec sa mère. Il me dit simplement que Betina est une personne triste et qu'il ne veut pas être comme elle.

Je fais une place à Betina et à João dans cet environnement de silence, où j'apprends à vivre, et je paie pour cela. Je ne m'imagine pas lui raconter ce que je sais, encore moins ce que je ne sais pas, ce que je ne veux pas savoir. Je paie ce que je peux payer, en recevant la part de rancœur qui me revient, en acceptant les sarcasmes et l'ironie dont les paroles de Betina sont chargées, paroles qui ne sont pas dépourvues d'agressivité et qui me blesseraient à coup sûr si j'étais encore accessible à la souffrance. Je suis pratiquement immunisée. Je reçois ces petites piques quotidiennes comme une goutte d'eau qui n'est même pas susceptible de faire déborder le vase des souffrances accumulées dans ma mémoire : pour que ces petites agressions passives puissent me tirer des larmes, il faudrait que le personnage impardonnable dont j'ai endossé le rôle ait la force d'en verser au moins une.

Je comprends la tristesse de Betina et je sais qu'à cet égard, je suis comme elle. Dans ces moments, je pense à la personne comblée qu'était Adriana, à l'admiration et à l'amour qu'elle recevait de tout le monde, et je pense aussi à la chose la plus aberrante que la vie lui a donnée : une fille. Adriana a une fille, je me répète cela à moi-même, stupéfaite.

Et d'une certaine manière, je me sens flouée, parce qui si j'avais été placée sur un autre plan du destin, cette fille serait la mienne.

* * *

Betina me tend une facture d'électricité en retard, avec son ton habituel. On dirait qu'elle me donne ainsi le décret où est inscrite ma culpabilité, et elle accroche un demi-sourire au coin de la bouche pour voir comment je vais réagir. Je n'ai pas la moindre idée de ce qu'elle projette sur moi à cet instant. Pendant qu'elle amène João dans la chambre où il va faire ses devoirs, je laisse ouverte la porte par où elle pourra ensuite sortir. Je veux économiser son temps, ou alors je veux qu'elle s'en aille au plus vite, encore une ambivalence que je ne sais pas trancher. Dans le miroir de l'entrée, mon image est comme à l'affût de la réalité.

J'ai suspendu ce miroir au mur lorsque Manoel est mort, parce que je redoutais – nouvelle peur – qu'il refasse son apparition après son décès. Ma mère croyait que les miroirs chassaient les morts et j'ai entrepris de vérifier cette hypothèse. Je regarde le miroir. Mon visage d'aujourd'hui est un visage impardonnable, le visage de quelqu'un qu'on ne peut pas disculper. Sous ce visage, il y en a un autre qui apparaît et se défait : un visage empreint d'effroi, de doute sous le visage logique que je porte tous les jours. Je vois en moi deux personnes et c'est peut-être pourquoi j'ai peur de moi-même.

Je tiens dans ma main l'enveloppe où sont indiqués le nom entier de la destinataire – Betina de Souza – et son ancienne adresse avenue Pompeia. Au verso, dans le cadre réservé à l'expéditeur figure le nom et l'adresse de ma mère, Elza Enedina de Souza, 114 rue Général Castelo Branco à Bom Jesus, dans l'État du Rio Grande do Sul. Chaque lettre est impeccablement calligraphiée comme le sont les lettres écrites par les gens qui accordent de la valeur aux apparences.

Betina paraît et me dit *Ne te presse pas pour la lire, mais lis-la.* Je lui demande une fois encore pourquoi elle veut que je lise une lettre qui lui est adressée. Betina me dit que j'aurai la réponse en la lisant et elle prend congé de moi pour la première fois depuis que nous nous sommes quittées au cimetière, en m'embrassant sur la joue.

* * *

Assise sur son balcon, où elle lit un roman photo dans une revue quelconque, Elsa décide d'écrire une lettre à sa petite-fille. Elle attend que l'homme qu'elle a choisi pour mari finisse sa sieste, cette habitude de vieux, comme elle lui avait dit un jour où elle se sentait lasse de la vie morne qu'elle menait à ses côtés. Elza n'a jamais dormi l'après-midi, ce n'est pas maintenant qu'elle va s'y mettre, elle préfère trouver quelque chose pour la distraire de sa vie ennuyeuse, qui défile devant elle inéluctablement. Au moyen de mots impeccablement calligraphiés, elle confie à Betina qu'elle a peur de mourir pendant qu'elle dort à côté de lui. Elle préfère rester éveillée pour sentir passer le temps qui se matérialise dans la froide brise qui souffle sur elle. Mon père ronfle, enlisé dans la vieillesse, à laquelle elle voudrait échapper.

C'est l'hiver. Le paysage est couvert de gelée, bien qu'il soit deux heures de l'après-midi. Elza se tient devant l'âtre et découpe les pages d'une revue de décoration achetée à l'aéroport de Buenos Aires, plus de trente ans auparavant, lorsque la vie était pleine de promesses. La revue sera bientôt jetée au fond d'un tiroir rempli de bobines et de vieux ciseaux sans fil, et ces objets rangés selon leur taille basculeront dans l'oubli, comme toutes les choses que renferme cette maison.

Elza évoque l'appartement exigu, où Betina et João vivent dans une même pièce avec le lit, la table et la gazinière. Elle regrette de n'avoir vu son arrière-petit-fils qu'une seule fois. Elle demande à Betina de lui écrire, de lui envoyer des photos, car elle se languit à en mourir, malgré leurs conversations téléphoniques quotidiennes. Elle dit qu'elle est trop vieille pour voyager et que, par-dessus tout, elle a peur de laisser son mari seul. Sur le ton de quelqu'un qui réprimande avant d'ironiser aussitôt, elle demande à Betina si son appartement est toujours aussi mal rangé. Elle en profite pour lui dire qu'elle ne peut se permettre de le laisser en désordre vu son exiguïté. Elle dit en plaisantant qu'elle finira par perdre João au milieu de ce bazar. C'est bien ma mère, préoccupée de l'accessoire, de l'insignifiant, voilà ce que je pense tout en déchiffrant son écriture pleine de fioritures. Il me paraît tellement évident qu'elle n'a pas changé d'un iota. Je soupçonne du reste qu'il ne peut pas en être autrement dans son monde, où elle cultive la misère spirituelle comme si c'était une condition du bonheur.

Betina a à peine assez d'argent pour pourvoir à l'essentiel, l'alimentation, le transport, l'eau et l'électricité.

Elle ne prête pas la moindre importance à son apparence extérieure, pas plus qu'elle n'accorde de valeur à l'endroit où elle vit, ne se souciant que de l'aspect fonctionnel des choses. Elza se souvient de la fois où elle est allée lui rendre visite. Elle s'assied sur un tabouret, près de la table, et elle pense à sa nièce, qui a opté pour ces conditions de vie là au nom d'une quête insensée : retrouver sa mère, qui a disparu toute jeune, et qui devait vivre clandestinement dans un autre pays sous un nom d'emprunt. Elle n'arrive pas à écrire sur la mort de cette jeune femme qui est sa fille. D'une autre côte, elle ne critique pas ses choix sous peine de remettre en cause le destin, grâce auquel elle explique la vie dont il lui reste si peu à vivre. Ça ne regarde qu'elle, décrète-t-elle, avant de se contredire aussitôt en disant que si Betina était restée à Bom Jesus pour y ouvrir un magasin de vêtements, elle aurait une vie beaucoup plus facile. Dans les villes de l'intérieur, les gens dépensent toujours plus d'argent dans des habits de marque. Il existe des magasins en tout genre. On n'hésite pas à voyager pour faire ses emplettes. Femmes de ménage, chauffeurs, vendeurs : il est de plus en plus facile de trouver un job depuis que les employeurs n'ont plus à payer de charges. Vraiment, le pays va de mieux en mieux, commente-t-elle, suggérant qu'il est encore temps de revenir, que l'eau ne manque pas à Bom Jesus et que la vie est différente dans les petites villes.

J'imagine l'effarement de Betina en lisant ces lignes écrites par la femme qui l'a élevée. Elle se console en pensant que sa grand-mère est d'une autre époque et que les souffrances qu'elle a endurées l'ont amené à se construire des défenses. Sa grand-mère continue sa lettre en disant que, même si elle-même ne se mêle pas de politique, Betina pourra être candidate à Bom Jesus ou qu'elle pourra aider les partis locaux comme le font d'autres femmes. Puis elle minimise ce qu'elle dit en affirmant qu'elle comprend sa petite-fille, qui cherche constamment à *s'améliorer*, selon le mot qu'elle aime utiliser. Elle l'emploie à mon endroit et à celui d'Adriana. Elle nous explique que notre vie doit être la meilleure possible. Au fond, elle espère que Betina n'ait pas la même vie que la sienne. Malgré la difficulté à accomplir les mouvements les plus simples, ne serait-ce dans l'espace réduit du petit appartement de la petite-fille, cette femme âgée commence à déplacer les meubles pour améliorer l'aspect de la pièce, tout en essayant de convaincre la jeune femme de faire son lit. Elle est soucieuse de donner l'exemple, de se montrer compréhensive, d'administrer la preuve que les choses, plus encore que la vie, peuvent rester à la place qui leur est due. C'est pourquoi elle lave les assiettes et les pose à l'envers en déséquilibre sur les tasses, pour les faire sécher, et elle procède de même avec le seul verre de la maison, qui est en plastique, et avec le biberon du bébé, car il n'y a pas de séchoir sur l'évier.

Elza écrit à Betina en croyant pouvoir la convaincre, sans pour autant insister lourdement. Son visage exprime l'inquiétude, la douleur et le chagrin, bien que dans sa lettre, elle évoque plaisamment la vie de patachon que mène sa petite-fille. Elle exhorte Betina à laver les assiettes dans l'évier, à accrocher les serviettes à la paterne en plastique collée avec un ruban adhésif derrière la porte de la salle de bain. Elle dresse une liste de choses à faire pour améliorer l'espace où elle vit. Elle pense que rien n'a bougé depuis la dernière fois où elle est venue chez sa petite-fille. Elza ne pourrait pas nettoyer ce que Betina elle-même ne nettoie pas, mais elle paierait quelqu'un pour l'aider, alors que Betina en aucun cas ne demanderait de l'aide ou en accepterait de qui que ce soit. De toutes les façons, elle n'a pas assez d'argent pour rétribuer ce genre de service. De plus, parmi les millions de gens réduits à une condition misérable, seul un petit nombre est disposé à se soumettre aux nouvelles lois qui instaurent le travail servile, et ce n'est pas Betina qui ferait travailler quelqu'un sous un tel régime de domination. Que Betina arrive à me laisser João et qu'elle accepte, comme le mois dernier, que je paie son loyer, voilà le maximum qu'elle peut tolérer. Quiconque n'a jamais reçu aucune aide ne supporte pas le moindre secours, ce doit être cela, pense-je, et en même temps, je me dis au contraire que ma mère avait par trop aidé sa petite-fille et que cette dernière faisait un énorme effort sur elle-même pour devenir plus forte.

Je pénètre parfois dans l'appartement de Betina et je nettoie tout ce que je peux, je lave la vaisselle, les vêtements, le sol. João s'occupe de la salle de bain. Elle apprend ces petites escapades, elle sait que je sais où ils vivent, mais elle ne se met pas en colère ni contre moi, ni contre son fils, vu que nous ne touchons pas à ses affaires. Si elle ne se plaint pas, elle ne remercie pas non plus. Je n'ai jamais jeté les papiers qu'elle conserve comme autant de preuves de je-ne-sais-quoi : tickets de caisse d'un montant minime pour des achats à la boulangerie, bribes de liste de courses, vieilles prescriptions médicales et notice de médicament oubliée dans une boite à chaussure, relevé bancaire à moitié effacé par le soleil. Je respecte chaque petit détail du petit monde de Betina, y compris cette manie d'accumuler des déchets, véritable culte au désordre, si révoltant aux yeux de sa grand-mère.

Il est vrai que j'aimerais trouver dans son appartement un indice susceptible d'expliquer la raison de ses nuits passées dehors, de ses absences qui duraient plusieurs jours. Il y a une petite valise cadenassée comme un coffre-fort, et je sais que c'est là que je dois chercher ses secrets, mais je n'ai pas le courage de l'ouvrir pour le moment, peut-être même que je n'oserai jamais.

En échange de ces petits gestes, comme faire le ménage pour elle, qui sont autant d'expressions évidentes de mon affection, des espèces de médiations destinées à lui montrer ce que je ressens réellement, vu que nous n'osons pas manifester outre mesure notre affection l'une pour l'autre, en échange de ces petits gestes donc, Betina me livre ses plaintes et ses réclamations.

Nous avons elle et moi la rancœur en partage. C'est pourquoi je ne la condamne pas. Je pense à mes parents, ou plus exactement, je ne pense pas à eux, ce sont eux qui me viennent à l'esprit sous forme d'images. Parfois ces images sont détachées les unes et des autres, mais maintenant que je fais un effort pour me souvenir d'eux, ils ressemblent à deux personnages d'un film. Et en les voyant sous cet aspect, ils semblent se présenter à moi comme les éléments d'un décor que j'ai laissé sur mon chemin. Je sais que Betina fait comme moi : elle me renvoie quelque chose qu'elle-même ne peut pas supporter. *Ma vie ne m'appartient pas*, me dit-elle, en déplorant le fait que João, encore si petit, semble déjà savoir qu'il devra se débrouiller bientôt tout seul. Je sais qu'elle pense de moi ce que moi-même je pense de mes parents, je le sais pertinemment, c'est pour cela que Betina m'a remis l'enveloppe sans me regarder dans les yeux. Elle sait que j'en sais plus que je ne le montre. Et elle veut que je le sache.

Elle ne regarde pas mon visage. Ce visage où se lit la perplexité, le visage de quelqu'un qui n'a plus rien à dire, qui est prisonnier de l'ironie de la vie. C'est ce visage que je regarde dans le miroir, c'est lui qui regarde l'enveloppe, comme s'il n'était qu'un masque en plastique fabriqué en Chine.

* * *

En me remettant l'enveloppe datée de Bom Jesus, Betina a dit aussi *c'est la dernière lettre que j'ai reçue. Après cela, on ne s'est plus rien dit*.

Ça, je n'en crois pas un mot. Que ma mère n'ait pas essayé de garder le contact avec Betina, telle que je la connais, ce n'est pas crédible. Je peux comprendre que Betina n'ait pas voulu dialoguer davantage avec Elza, d'autant plus que moi-même je ne l'ai jamais voulu. Et je ne chercherais surtout pas à le faire pour éclaircir ce qui s'est passé autrefois, car je devrais alors reprendre chaque détail, me justifier, m'expliquer, trouver une raison à des événements qui ne pouvaient pas ne pas avoir eu lieu. Il faudrait que je raconte tout, que j'explique tout, que je décortique chaque détail, que je justifie le destin. Il faudrait que je creuse un trou dans le monde fermé où vivent ma mère et Adriana, monde dans lequel je ne pourrais pas être autre chose qu'une intruse.

C'est alors que je me rends compte que Betina a voulu dire autre chose, Malgré tout, bien que je n'arrive pas à croire á ce que je viens de découvrir, je finis par interroger João sur sa grand-mère. Il veut savoir si je l'ai connue. Je lui réponds que je l'ai vue à quelques reprises, il y a des années de cela. Elle avait alors un chignon qui lui donnait un air drôle. Il ne se souvient pas d'Elza. Il me dit alors que sa mère a une photo d'elle sans cheveu.

Je ne sais pas pourquoi, mais mon cœur se serre.

* * *

Assise sur le petit siège du salon, les yeux tournés vers la fenêtre comme si elle pensait à quelque chose de lointain, Betina me demande si j'ai une idée de qui pourrait être son père. *Les amis de ma mère et de ma tante avec qui j'ai discuté n'ont rien pu me dire.* J'attire son attention sur le fait que, pour elle, il serait plus facile de retrouver sa mère après avoir localisé son père. Elle me dit qu'elle n'en a pas besoin. Qu'elle n'a jamais eu besoin d'un père. Je lui demande alors pourquoi elle aurait besoin d'une mère. Elle ne répond pas et, cette fois, elle se contente de pousser un soupir d'ennui.

Je parle de León à Betina. Celui-ci acquiert ainsi la dignité d'un personnage, ce à quoi il ne pourrait nullement aspirer en tant que personne réelle. Je le sors d'une malle remplie de vieilles affaires, usées et rangées pour être oubliées. Je lui dis qu'Adriana sortait avec lui ; et étourdie comme elle était, pendant que nous préparions la révolution, elle passait ses après-midi sur les places et dans les bistrots, en compagnie de ce garçon assez vain, fils de latifundiaire, et déjà propriétaire de plusieurs compagnies de bus, concessionnaires, laboratoires, pharmacies et supermarchés. Je m'en suis toujours méfié. Quant à Adriana, elle avait les plus mauvaises notes du collège, ce qui était compréhensible : elle était amoureuse, il ne pensait qu'à lui, elle voulait se marier et avoir des enfants aussi vite que possible. Je lui explique que ce genre de désir était courant à l'époque ; qu'Adriana était comme ça et qu'on ne peut pas condamner les rêves d'une jeune fille, quel que soit son époque, et surtout si elle est de cette époque-là.

Je parle d'Adriana à Betina, en recourant à des clichés qui pourraient rendre vraisemblable n'importe quelle histoire. Adriana, toute jeunette qu'elle était, ne connaissait rien à la vie, mais pour atténuer la méchanceté du trait, je la compare à Alice. À chaque fois que je parle des sœurs du point de vue d'une amie, je conforte mon personnage. Je dois faire attention à ne pas me contredire. Je continue, en précisant qu'aucun de nous ne savait au juste ce qui se passait. Je lui dis qu'on ne peut pas accuser Adriana d'être responsable de quoi que ce soit : les délations, la torture des innocents, la mort des compagnons, les destins interrompus.

Tout en parlant, je prends un verre d'eau directement du robinet. Je sens que je mérite ce liquide morbide qui vient du réservoir putrescent et que je bois à présent. Je continue de dévider le fil des souvenirs : nous étions tellement jeunes, le mouvement estudiantin occupait une place centrale dans ma vie et les idéaux qu'il véhiculait me guidaient à une époque où les idéaux étaient tout. C'était pour cela que j'étais davantage amie avec Alice qu'avec Adriana. Cette dernière était le type même de la jeune fille écervelée comme il en existe encore aujourd'hui : elle ne pensait pas à l'avenir, elle ne se représentait pas ce qui était en train de se passer dans notre pays, j'insiste, et je finis par révéler qu'Alice savait pertinemment ce qui allait se passer et qu'elle était trop idéaliste pour pouvoir y survivre. Betina me regarde, les yeux humides. Les larmes ne coulent pas. Elle me dit *tu mens*. Je me tais. Elle va aux toilettes. Je me demande pourquoi elle ne s'en va pas.

Les après-midis passés avec León me reviennent aussi à l'esprit sous la forme d'un film. Sa sueur douceâtre, l'odeur désagréable de ses pieds, de ses aisselles, de ses cheveux, ses dents trop longues, sa manière maladroite de faire l'amour, alors que mes amies et moi valorisions les baisers et les gestes qui composent cette espèce de grammaire érotique, tout cela faisait de León un mauvais coup, dont j'avais honte. Il faisait l'amour comme un adolescent ; il le faisait si mal qu'il ne me donnait pas le moindre plaisir et que je ne pouvais en parler à personne. Adriana ne s'imaginait pas un seul instant que je sortais avec León et que je couchais avec lui, elle aurait sûrement eu honte de moi si elle l'avait su. Moi-même j'avais honte et malgré tout, je continuais à le fréquenter jusqu'à l'imprévisible dénouement.

* * *

Je demande à Betina de me dire qui est le père de João. Elle me regarde avec cet air exaspéré qu'elle affiche lorsqu'elle me doit une explication. Elle me demande si je parle sérieusement. Je ne vois pas pourquoi je ne parlerais pas sérieusement du père de João, je pense qu'il a le droit de savoir qu'il a un père, lui dis-je. Betina me rétorque que je suis déphasée, que je dois me mettre à la page, que le futur est aussi changeant que le passé et le présent, que je devrais suivre un cours de remise à niveau pour pouvoir m'adapter au monde actuel, et elle me parle de Laura, la femme qui est censée être l'autre mère de l'enfant.

Je suis d'abord impressionnée. Le choix de Betina, d'une certaine manière, m'effraie. Je lui dis que je suis de l'époque où les enfants avaient encore des enfants. Elle s'aperçoit de ma stupeur et m'explique en souriant que le mode de procréation utilisé au temps de ma jeunesse est dépassé depuis longtemps. Notre société a connu des avancées, dit-elle, en dépit des régressions, il n'y a pas eu que du mauvais. Elle me demande si je connais les banques de sperme, elle me raconte que Laura et elles ont décidé de recourir à ce service encore balbutiant, mais suffisamment au point pour être un outil de l'émancipation des femmes. Elle me fait savoir combien c'était pratique et elle me rappelle, riant presque, qu'elle a toujours pensé qu'un père était inutile.

Betina me dit qu'il existe des hommes disposés à engrosser des femmes contre de l'argent, à des prix variés, mais qu'elles avaient préféré une banque de sperme afin de ne pas avoir à connaître le nom du père. De même qu'il y a des femmes qui louent leur ventre, il y a des hommes disponibles, continue-t-elle sur un ton objectif et pratique. João est le résultat d'un choix conscient, commente-t-elle avant de marquer une pause. Je ne sais pas quoi dire. Betina brise le silence pour préciser que l'insémination s'est parfaitement bien passée. Cependant, Laura a eu une embolie, lorsque João est né, et dès lors Betina est restée seule avec l'enfant.

Je regarde Betina, peinée, et je lui demande pourquoi João a les mêmes gestes qu'elle et que les autres membres de sa famille, s'il ne partage pas le même sang. Elle rit encore une fois, avec une patience dont elle fait rarement preuve à mon égard, et elle me dit que ce doit être une question d'âme.

* * *

Une après-midi pluvieuse de notre jeunesse. L'impression thermique était de quelques degrés en-dessous de zéro et nous aspirions à un monde meilleur. Ce jour-là, ils sont venus nous arrêter. Je raconte cela à Betina deux jours après qu'elle m'a remis la lettre de ma mère, deux jours avant qu'elle ne disparaisse définitivement.

Betina m'écoute en silence. J'essaie d'en raconter davantage. À cet instant, je suis dans la peau de mon personnage et j'entame mon récit sans savoir ce que je vais dire. Je ne me suis jamais soucié des conséquences. À vrai dire, je préférerais ne pas mentir, je poursuis en donnant cette impression à Betina. Nous n'avons pas eu le temps jusqu'à maintenant d'évoquer la réalité la plus dure. Je commence tout juste à maîtriser mon impatience, lorsque je décide de tout dire : que je suis la sœur d'Adriana, et donc, à supposer qu'elle soit vraiment la fille de ma sœur, je suis sa tante. Je dis cela pour ne pas mentionner une idée qui se consolide en moi à mesure que je découvre le passé. Ce que je pense réellement et que je n'ai pas le courage de dire, c'est que je suis sa mère.

* * *

Ce soir-là, je rêve de l'enfant pendue, rêve que je ne faisais plus depuis des années. Elle se balance, accrochée à l'arbre. Les chiens aboient en essayant de mordre ses pieds qui oscillent. Le vent qui souffle fort n'apporte pas l'odeur de son petit corps mort. Je cherche désespérément de l'aide alentour, jusqu'au moment où je m'aperçois que nous sommes seuls, et que je dois l'enterrer quelque part.

***

Le froid reculait face à la spontanéité d'Adriana, qui était toujours excitée par la vie qui gravitait autour d'elle, comme si elle était une lampe et les autres, des mouches. Elle discutait avec tout le monde, définissait les stratégies, préparaient les prises de paroles et les actions, exhortait à la patience, apaisait les inquiétudes, ranimait les énergies, délimitait le champ du possible et de l'impossible. Dès l'époque du collège, elle sortait de bon matin, en chemisier blanc et jupe bleu marine, et sans jamais porter de manteau, alors que moi, timorée, j'enfilais autant de couche de vêtements que je pouvais.

Une pellicule de givre recouvre ma peau aujourd'hui encore ; mes yeux sont frigorifiés depuis l'époque où j'étais dans la cour du collège Caetano de Campos et que je rêvais d'aller à l'université pour étudier les arts. Adriana se préparait à faire une fac de droit, et la dernière année, elle était tutrice pour les élèves de philosophie, corrigeait les copies, faisait des résumés et donnait des cours particuliers à ceux qui ne comprenaient rien à Platon. Elle était une étudiante brillante, elle avait un excellent caractère, tout le monde l'aimait, même les bonnes sœurs. Adriana voulait entrer dans les ordres ou faisait semblant de le vouloir pour s'attirer la sympathie des nonnes. Elle n'avait pas encore 17 ans, lorsqu'elle est entrée à l'université.

Après avoir redoublé ma dernière année de collège, ce qui m'éloignait encore un peu plus d'Adriana, qui était en deuxième année de fac de droit et menait une vie autonome dont elle ne disait presque rien, je me suis enfoncée dans mon silence. Ma mère insistait pour que je reste toujours aux côtés d'elle, ce qui était impossible, compte tenu qu'Adriana avait cessé de s'intéresser à moi depuis belle lurette. À mesure que nous grandissions, nous devenions les branches toujours plus éloignées d'un tronc commun qui dépérissait à force de garder toute sa sève pour son rameau le plus fort. J'avais honte d'être la sœur d'Adriana, j'étais une espèce de sœur arriérée, et j'évitais de m'afficher avec elle lorsqu'elle travaillait, surtout lorsqu'elle a gagné en notoriété, brillant alors de mille feux. Je m'effaçais devant elle, que ce soit en présence des amis dont je me cachais ou à table, à l'heure du dîner, lorsque ma mère entamait de longues discussions avec elle, et que je faisais semblant de manger. Mon père allait se coucher tôt, comme le font les vieux, ma mère attendait qu'il soit endormi pour aller au lit elle aussi. Adriana l'écoutait patiemment et personne ne remarquait que mon assiette était toujours aussi propre.

Il est vrai qu'Adriana ne m'empêchait pas de la côtoyer, mais elle ne me conviait pas non plus à ses réunions, ni aux fêtes de ses amis. Elle passait le plus clair de son temps loin de moi, peut-être parce qu'elle avait peur que j'obéisse aux ordres de ma mère et que je devienne une délatrice à la petite semaine, une persécutrice de bas étage. C'est León qui était toujours avec moi à l'école, il m'accompagnait jusqu'à la fac d'Adriana, m'amenait au cinéma. León, c'était les glaces, la barbe à papa, les pommes d'amour et les attouchements d'adolescent dans les salles de cinéma vides, dans les chambres d'hôtel crasseuses, ou chez lui pendant les après-midis froides, à l'époque où vivre n'était encore qu'un simple passetemps.

* * *

Je change de sujet chaque fois que Betina me pose une question difficile, et plus ça va, plus ses questions sont compliquées. À la cafétéria, devant sa tartine de pain beurrée et son café au lait, Betina comme d'habitude m'interroge sur les actions militantes, les stratégies à adopter. Je lui réponds que je préfère ne pas en parler, ce qui d'ailleurs est vrai, parce que je n'ai pas assez d'imagination pour cela. Il me faudrait connaître l'histoire réelle, les noms des personnes impliquées, la nomenclature des groupes. Je cherche à savoir le point de vue d'Adriana, je lui dis que chacun est victime justement de son point de vue, elle me regarde, dubitative, et me demande de développer mon propos. Je n'ai rien à dire et je comprends maintenant à quel point je suis passé à côté de son monde, en ne remarquant pas combien il était intéressant. J'étais le témoin d'un moment fondamental de l'histoire, je le sais aujourd'hui, et j'ai vécu comme si je n'en avais pas fait partie, comme si elle ne me regardait pas. Le personnage que je campe devant Bettina est celui d'une ancienne activiste engagée, et maintenant, alors que je vis dans cette peau qui n'est plus la mienne, face à la surprise que cette jeune femme représente dans ma vie, je me demande qui je serais aujourd'hui, si le désir que je n'ai pas eu avait animé ma vie à l'époque où elle aurait pu avoir un sens. Je suis le contraire de Cacilda Becker : acéphale, idiote, privée de désir et de volonté, j'interprète sans la moindre conviction un rôle qui n'est pas le mien.

J'ai peur que Betina me prenne pour une personne superficielle et que, du coup, elle ne me valorise pas, qu'elle ne reconnaisse pas mes efforts pour me rapprocher d'elle, pour nouer une relation intime. Malgré cette peur que je ressens, je ne peux pas agir autrement, je ne peux pas raconter la vérité, le mensonge que je profère en ce moment me fait gagner du temps d'une certaine manière pour pouvoir réfléchir à ce que je vais dire, à comment le dire ; surtout cela me permet de rester avec João. Depuis qu'il est apparu pour la première fois à ma porte, sa baleine en peluche à la main, me regardant fixement avec l'air de me demander qui je suis, je ne peux plus vivre sans lui.

Je pense tout en parlant, et je ne dis pas ce que je pense réellement. Je comprends alors qu'il vaudrait mieux changer de direction avant qu'il ne soit trop tard, ce qui risque d'arriver bientôt. À cet instant, je suis sur le point de dire la vérité et de révéler mon imposture. Betina me dévisage d'un air inquisiteur, une question brûlante au bout des lèvres. Je me dérobe, je tergiverse, je lui dis que João est mauvais en portugais et que je vais l'inciter à lire davantage – la littérature brésilienne regorge de trésors, il doit connaître les classiques en plus de lire des livres pour enfants, il faut qu'il se plonge aussi dans la littérature contemporaine, les livres ne sont pas à la mode, mais il y a des gens qui en écrivent encore.

En m'adressant à lui de cette manière, indécise, changeante, je sais qu'il va se douter que quelque chose ne va pas depuis que nous nous sommes rencontrés dans le cimetière devant la tombe où je devrais être enterrée mais où je ne le suis pas. Betina reste interdite, elle ne remue pas les yeux, respire à peine lorsque je ne sais pas quoi dire. Je préfère continuer ainsi jusqu'à ce que je comprenne ce qui se passe en moi, et comme je ne sais toujours pas quoi dire, je me donne la liberté de créer des histoires, de détourner le sens, de remplacer

Alice par Adriana, Adriana par Alice, restant ainsi sobre et à l'abri du risque d'être moi-même.

* * *

Mon visage est un masque. Voilà ce que je pense devant Betina qui me scrute et à qui je n'ose rien dire. Elle détourne le regard cette fois. J'ai renoncé à la comprendre. Pendant qu'elle me laisse parler, je me dis que nous pourrions nous dire la vérité, du début à la fin, et que nous pourrions commencer dès maintenant, tant que nous sommes encore là l'une devant l'autre, que nous prenons un café en attendant João et que nous regardons le nuage de pollution, qui a pris la place de la pluie.

Lorsque je le peux, je me demande pourquoi je suis ainsi, et j'en déduis que je ne suis rien, que je ne suis personne, et que je ne connais pas grand-chose sur celle qui est ou a été la personne que j'ai côtoyée, et que je n'en sais pas plus sur ce qui lui est arrivé. Je sais qu'elle est morte et que je suis vivante, que j'étais là où elle était sans pour autant occuper sa place. Je sais que j'utilise le nom qui lui était réservé, lorsqu'elle est morte, au moment où elle aurait dû fuir.

Voilà tout ce que je devrais dire. Et c'est justement ce que je n'arrive pas à dire. On ne peut jamais dire toute la vérité.

7

J'observe Betina, qui essaie d'élever son garçon. J'essaie de lui dire ce que je n'arrive pas à dire. L'appartement trop exigu, la surcharge de travail, le manque d'argent, la lutte quotidienne pour la survie qui me semble infinie. Je la regarde et je rends grâce aux dieux de ne pas être mère. Je regarde alors João et je suis triste de ne pas être mère.

Pendant quelques secondes, je pense que j'ai de la chance, vu qu'elle est disposée à écouter la vérité et à retourner dans l'endroit où elle se terre, endroit plus incertain que jamais. J'ai du mal à croire qu'elle voudra rester avec moi et a fortiori qu'elle me laissera m'occuper de João, si elle sait ce que je sais, si elle rassemble les pièces du puzzle, si elle raisonne jusqu'au bout. Moi-même j'évite d'y penser. Je me protège de moi-même.

Nous nous souvenons de ceux qui sont partis comme de simples personnages. Je suis mon propre personnage à présent : celle que j'ai été un jour est devenue une image pour moi. Je sais qu'il n'est pas possible de comprendre qui était ce personnage, que personne ne peut le comprendre. Même João ne le pourra pas, même si je lui explique. Comme toute femme, j'aurais dû être entièrement guidée par l'instinct maternel, ou disons, cet instinct maternel devrait parler plus fort, comme je l'ai entendu dire, j'aurais dû me prêter aux rituels de la maternité, allongée dans le lit d'une clinique et entourée par l'amour des miens, j'aurais dû penser aux habits du bébé, à la chambre qu'il faut décorer, au nom du futur enfant. Mais moi j'étais en prison, avec mon énorme ventre, et j'avais envie de mourir. La dernière chose que je voulais, c'était être enceinte.

Dans la prison, où je suis restée plus d'un an probablement, parce que j'avais perdu la notion du temps, j'ai compris que j'étais enceinte, lorsque je me suis réveillée. En effet, en dépit de ma maigreur et du fait que mon ventre n'était pas celui d'une femme enceinte, je sentais que quelque chose remuait en moi. Si ma grossesse était avérée, on m'avait promis que je sortirais pour accoucher, à condition que je dise tout ce que je savais.

Ce que je savais, ce que je sais de mon corps, ou plutôt des lambeaux de mon corps, je me le demande à présent.

Ils ont compris que, même enceinte et malade, je ne parlerais pas, et comme ils ne s'étaient jamais doutés que je n'avais rien à avouer, les personnes chargées de la procédure, dont j'ai compris plusieurs années plus tard qu'ils étaient des tortionnaires, ont commencé à se livrer à des actes de violence qu'ils appelaient légère. Ceux-ci consistaient à m'enfoncer des aiguilles sous les ongles, à frapper simultanément mes deux oreilles, sévices qu'il nommait stupidement « téléphone ». Ils le faisaient en riant. Ils s'esclaffaient, comme le ferait quiconque a perdu tout sens de la dignité, ou ne l'a jamais eu. Ils riaient sans arrêt. Ils recouraient à la technique de l'humiliation verbale pour détruire les personnes qu'ils tenaient sous leur main, comme je l'ai appris par la suite. *Ça c'est la petite sainte, la sœur de la putain* était une de leurs phrases, toutes les autres je n'ai pas pu mémoriser tant les mots qui les composaient étaient stupides. Ces mots, ils me les crachaient à la figure dans un état d'extase dont je me souviens à présent, même si je serais incapable de les répéter. Je m'en souviens, malgré mes efforts pour ne pas y penser pendant les décennies qui ont suivi. Ils ont été comme tatoués sur mon corps millimètre par millimètre, ancrés dans les tréfonds de mon âme, faite de la même matière que le néant.

Ils avaient besoin d'un nom, n'importe lequel, même faux, pour poursuivre les persécutions qui justifiaient leur vie. À cet instant, j'étais le nom qui remplaçait ces mots misérables, ces mots malades. Ces mots étaient mêlés à des menaces de mort qui se déversaient sur moi sous la forme d'un torrent de misère que je devais supporter, et la mort elle-même n'aurait pas pu m'en délivrer.

Betina me ramène à ce monde, dont j'espérais qu'il se serait définitivement dissout dans le temps vide d'une vie qui ne s'écoule plus, grains de sable dans un sablier qui avait été brisé il y a une éternité. Les yeux d'Adriana survivent dans le corps de Betina et je me perds comme une feuille morte dans le paysage venteux, où les nuages gris promettent une averse qui ne viendra pas.

* * *

J'ai demandé à ce qu'on téléphone à León Neves de Melo. C'était son nom en entier. Un nom qui me vient à l'esprit comme une réponse à une question que je persiste à poser. Je pensais que León pourrait m'aider. Il avait une famille, il habitait les beaux quartiers, il portait un nom connu. Le colonel qui m'interrogeait a ricané, puis imité par ses soldats, il s'est esclaffé au point d'en avoir le hoquet, frappant sur la table de ses deux mains. Puis dans un quasi-grognement, il s'est roulé par terre en se tenant les côtes et en pleurant de rire, hystérique, avant de se relever, comme si cet accès de délire était la chose la plus naturelle du monde. Il m'a giflé et m'a dit, en hoquetant encore de rire, que León n'avait certainement pas envie de me sortir d'ici. Il n'avait certainement pas envie de quoi que ce soit avec moi. J'étais trop maigre et laide, et lui était le plus malin des gars malins qui existent sur Terre, il était le maître du monde, le grand manitou, l'héritier du trône et moi j'étais une morue qui osait prononcer son nom en pensant être plus maline que lui. Une morue, une pute, une chienne, voilà ce que j'étais.

Et c'est comme ça que j'ai appris que León était un informateur.

* * *

Le viol que j'ai subi était un acte du corps et de la parole. Avant et après, un silence abject soutenait le mensonge que rien ne s'était passé. Les insultes étaient des détritus jetés à ma figure – morue, chienne, et toute autre viande d'animal. Aujourd'hui, je me dis que les femmes ont, avec les bêtes, de tout temps payé le prix de l'inhumanité à laquelle on les a réduites. La victime qu'on effaçait pour toujours de l'histoire, c'était moi.

Je n'ai pas la force de haïr. Parler d'humanité ou d'inhumanité serait une blague. Ma vie ne tient qu'à un fil, et avec ce fil je pourrais me pendre, mais en aucun cas les tuer. Et comment aurais-je pu les tuer ? De toute façon, ils étaient déjà morts d'une certaine manière. Et malgré tout, ils agissaient. Et leur action était abjecte, comme le sont toutes les actions produites par des morts-vivants.

Je ne sais pas leur nombre : ils étaient plusieurs ou alors un seul. Il me semble que j'ai du mal à m'en souvenir pour pouvoir précisément me protéger. En faisant un effort pour m'en souvenir, j'ai envie de vomir. Je songe à le raconter à Betina et cette simple idée me rend follement malheureuse. Chaque jour, alors que je commençais à être sourde, ne reconnaissant plus la voix de ceux qui m'insultaient et m'agressaient, un homme me violait, et peut-être croyaient-ils me détruire par cet acte. Le viol n'était pas l'une des tortures, c'était la torture elle-même, un ensemble de sévices où les souffrances infligées sont complémentaires les unes des autres. Cependant, chaque souffrance est spécifique, chaque souffrance a un objectif aussi vide que ceux qui les planifie.

Je regarde ce viol du dehors. Cela paraît plus facile si je le considère comme une sorte d'objet et que je pense qu'il arrive à quelqu'un d'autre, à un corps qui n'est pas le mien. Je me regarde comme si j'étais un personnage d'une époque qui m'échappe, d'une vie passée. Aujourd'hui, ce passé ressemble à une hallucination, à un film enregistré sur une puce électronique incrusté dans un endroit perdu de ma mémoire.

Le viol est devenu réel, lorsque mon ventre a commencé à s'arrondir. Ces hommes délirants ont alors tiré prétexte de ma grossesse pour me soumettre à une autre violence, qui les exonérait d'être le père de l'enfant. Non, personne ne m'a dit cela. Cependant, il m'est impossible de ne pas y penser, parce que le fait d'être enceinte me conférait une autre qualité, les actes de ces hommes semblaient prendre un autre sens, encore plus pervers.

Au cours des derniers mois de captivité, le peu qui restait encore de moi a été détruit par ces hommes dépourvus de toute dignité, qui utilisait leur corps comme une arme pour exercer la violence. Je ne soupçonnais pas qu'entre eux et moi, il y ait eu quelque chose comme un enfant. Cela me paraissait aberrant.

J'étais enceinte et d'une certaine manière, j'étais morte aussi. Je criais sans savoir pourquoi je criais. La souffrance était devenue un affect permanent, qui m'empêchait de continuer de crier et qui pourtant me faisait crier encore davantage. Et alors pour me faire taire, ils m'étranglaient sans pour autant me tuer. Je toussais pendant des jours et des jours et je continuais de crier. Et ce cri, ce cri vide, j'ai fini par le comprendre : c'est lui qui me maintenait vivante. Dans les derniers temps, je n'avais la force de ne rien faire, je ne me nourrissais pas, ne prenais aucun soin de moi. Je sentais le sang, la merde et la pourriture, j'étais incapable de dire combien de dents il me restait dans la bouche et je ne savais plus me situer dans le temps. J'étais dans cet état, lorsqu'on m'a laissée sortir de la cellule d'isolement, uniquement parce que je devais accoucher.

C'est l'infirmière à l'hôpital qui m'a annoncé que l'enfant était sur le point de naître. J'étais engourdie par la douleur. Je ne savais pas que c'était les contractions de l'accouchement. Je n'étais pas sûre moi-même d'être vivante, je ne pouvais pas imaginer un enfant naître au milieu de tant d'horreurs. C'était insensé. Ayant perdu toute notion du temps et de l'espace, la grossesse n'était pas non plus une certitude pour moi. La vie s'agitait dans mon corps comme le doute s'agitait dans mon esprit. La douleur de l'accouchement se mêlait à toutes les douleurs que j'avais endurées pendant des mois. Je sais à présent que les tortures avaient duré des mois, mais à cet instant je ne pouvais pas mesurer le temps, le temps n'avait aucun sens. Dans les derniers jours de cette époque interminable, mon corps s'était si bien habitué à la souffrance qu'il ne m'était plus possible de distinguer la douleur de l'absence de douleur. La douleur et l'état d'anesthésie qui en est découle, avaient transformé mon corps en cette chose aride, qui se réduit à un point de l'espace.

C'est l'infirmière qui m'a expliqué que j'avais des contractions. Mon enfant allait bientôt naître, m'a-t-elle annoncé, il fallait que je prie pour qu'il soit en bonne santé. Je ne comprenais pas pourquoi je devais prier puisque j'étais en enfer, et que mon enfant, à cet instant, en faisait partie. Si jusqu'à présent je n'avais subi que des actes diaboliques, je ne voyais pas à quoi bon prier. Quel intérêt aurais-je pu avoir à être mère, vu l'état où je me trouvais. Je n'arrive pas à m'imaginer cet enfant, qui n'existait qu'à travers les paroles de l'infirmière. Mais je pensais comme pensent les femmes en général, à savoir que tout était de ma faute, en sorte que j'ai ébauché un « Je te salue Marie » sans arriver à terminer la première phrase. Je regardais mon corps couvert d'hématomes comme pour trouver le mot qui me permettrait de reconstituer la prière ; et la raison d'être des choses disparaissait dans un spasme de douleur. Les marques de coups de poing et de coups de pied s'étant estompées, je suspectais que j'étais à l'hôpital depuis un grand nombre de jours. Je me souviens d'une soupe au riz trop salée et d'un cathéter qui m'infusait du sérum dans le bras. La lumière du jour manifestait crûment la saleté de mon corps, même après la douche froide qu'on m'avait infligée sans que j'en aie eu conscience. Je me souviens de cette sensation de froid qui ne me réveillait pas, de l'eau jetée contre mon visage, de la lumière voilée. Privée de lumière depuis longtemps, je ne pouvais voir les détails de mon corps qu'en me regardant de très près. Le visage des autres n'existait pas s'ils me parlaient à plus d'un mètre de distance. Mon propre visage, je l'ai peu à peu oublié, faute de miroir. Entre la caverne, où je suis devenue une chauve-souris rabougrie chaussée de lourdes bottes, à l'insupportable lumière du jour, le chemin était loin d'être court. J'étais en proie à des hallucinations, qui me faisaient croire que des formes confuses me déchiraient de l'intérieur. Je n'ai jamais compris ce qu'ils me voulaient et pourquoi ils ne m'ont jamais tué. Je ne comprenais pas pourquoi je devais prier, puisque – comme me l'avait alors dit l'infirmière – ils tueraient l'enfant qui sortirait de ce qui n'était que mon corps.

* * *

À l'hôpital, il y avait des gens dont l'état paraissait plus grave que le mien et qui gisaient, inertes, sur des lits en métal, sans matelas, ni couverture. L'infirmière a posé sur mon bras son appareil à mesurer la tension. Terrorisée, je m'attendais à de nouvelles tortures et j'ai eu le réflexe de m'éloigner, mobilisant le peu de force qui me permettait encore de marcher. Tandis que l'infirmière s'approchait, j'ai vu des araignées sur ses cheveux crépus qu'elle avait lissés. Je me suis souvenu de la nouvelle de Kafka, dont le personnage voyait des poux sur le col du portier, lequel lui criait aux oreilles malgré sa surdité. Elle n'a rien dit sinon que personne ne lui ferait de mal ici. Je ne l'ai pas crue, je n'étais pas en état de la croire. Sa phrase était dépourvue de sens.

Incapable de comprendre ma situation et de poser la moindre question, je me suis endormie sans m'en apercevoir. Je me suis réveillée longtemps après, la poitrine enflée et douloureuse. Saisie de nausée, j'ai vomi, bien que mon estomac ait été vide. En voyant le large pansement qui couvrait mon ventre, j'ai d'abord pensé qu'ils m'avaient arraché le foie, puis je me suis avisée qu'il était posé sur la partie inférieure, de sorte que je me suis dit qu'ils m'avaient extirpé l'utérus. Une autre infirmière, ou peut-être la même, est venue m'apporter des médicaments. Sans un mot, elle m'a donné des comprimés, que je n'ai pas réussi à avaler. Mon ventre brûlait. Elle m'a dit alors d'en prendre trois par jour pendant sept jours et, troquant son air sérieux pour un sourire pervers, elle m'a demandé si j'avais entendu parler des limbes. Je n'ai pas répondu. Elle m'a pris le bras en me disant *C'est là où tu iras juste avant l'Enfer, pour avoir dénoncé tes amis communistes.* J'étais déjà en enfer et je n'ai pas compris ce qu'elle voulait dire par là. J'arrivais d'autant moins à montrer mes sentiments que je n'étais pas sûre d'être encore capable d'en éprouver au milieu de tant de terreur. Pour couronner le tout, alors que je cherchais à comprendre ce qu'on me disait, l'infirmière m'a annoncé sur un ton très posé que le bébé avait été noyé pour le bien de tout le monde. Après avoir déclaré *il ne faut plus qu'aucun communiste ne vienne au monde*, elle a éclaté de rire d'une manière que je ne comprendrai jamais.

Elle riait. Elle disait des choses qui étaient trop compliquées pour moi à cette époque, j'étais depuis longtemps devenue un abject morceau de viande, je n'arrivais à penser à rien, je ne connaissais aucun communiste, je n'avais jamais vu d'enfant naître et je ne pouvais pas, à cet instant, me percevoir comme une mère.

J'ai mis du temps à comprendre qu'Adriana était ma sœur communiste. De la même manière, je n'ai pas envie de savoir que Betina est l'enfant que j'ai perdue.

* * *

En me remettant la lettre, Betina me dit encore qu'elle vient de sa mère. C'est ainsi que Betina appelle ma mère, autrement dit sa grand-mère, et je me vois à nouveau rendue à mon statut de sœur. Cette fois, je suis la sœur de Betina, et il m'apparaît clairement que mon destin est de vivre à l'ombre d'une sœur.

* * *

Je connaissais par cœur le numéro de téléphone de León, qui vivait chez ses parents dans le quartier de Jardim Europa, à l'angle de la rue de Turquie et d'Italie, et j'étais à deux doigts d'aller chez lui. J'étais vraiment naïve. Je l'ai appelé en PVC et en l'entendant dire à Lina qu'il n'était pas là, je me suis rendue à l'évidence. J'étais encore sous le choc des dernières expériences que j'avais vécues et je lui avais téléphoné sans trop réfléchir. Le numéro de mes parents ne m'était pas immédiatement revenu en mémoire, et lorsque j'ai réussi à le récupérer, j'ai mesuré les conséquences d'un éventuel coup de téléphone et alors j'ai renoncé à les contacter. J'ai appelé León, tout en sachant qu'il était un informateur. De fait, mon acte était irrationnel, comme tout acte désespéré. J'ai demandé à parler à Lina, qui m'a dit avec son accent inimitable du Nordeste *je t'écoute, ma fille,* ce à quoi j'ai répondu *ton petit patron est un traître, Lina.* Et j'ai raccroché.

Je rencontrais León presque tous les après-midis non loin de la place de la République, dans une cafétéria près du métro qui aujourd'hui n'existe plus. Nous entrions parfois dans un hôtel, fréquenté que par des putes et où je me sentais comme à la maison, en dépit des préceptes puritains inculqués par la famille petite-bourgeoise qui était la mienne. Sinon, nous allions chez lui. L'après-midi, il n'y avait personne sauf Lina, qui était une sorte de mère-esclave, qui faisait la cuisine et lavait le linge. Tout en me regardant avec tristesse, elle maniait un balai aussi abîmé qu'elle, trimballait un seau d'eau qui aurait pu être des seaux de larmes, épluchait les pommes de terre, triait les haricots comme si elle devait nourrir le monde entier. Elle paraissait ressentir quelque chose pour moi. J'ai commencé à éprouver quelque chose de différent pour elle pendant ces journées où nous nous sommes vues de près. Nos regards se croisaient mystérieusement, partageant parfois des confidences. Il y avait entre nous une envie de dialoguer, à laquelle faisait obstacle la présence de León. Nous communiquions alors avec nos yeux. Lina avait peut-être entendu León dire qu'il voulait se marier un jour avec moi, elle avait peut-être observé le ton obséquieux qu'il prenait, lorsqu'il ne s'adonnait pas à l'exercice agressif et lâche de la réprimande.

Je vais me servir de l'eau à la cuisine, Lina me donne un verre, ouvre la porte du frigidaire. Elle me dit tout bas qu'elle vient d'une région lointaine, et qu'elle a amené avec elle les souffrances de son corps et de son âme. Elle m'exhorte à ne pas rester dans cette maison, faute de quoi je deviendrai comme elle. Elle me raconte que la maîtresse de maison est morte de cette maladie mauvaise des seins, qui s'est répandue dans tout son corps. Elle n'avait pas son mot à dire dans cette maison, elle était alors jeune fille et devait bien réfléchir à tous ses faits et gestes. En apprenant que je sortais avec León, Adriana m'a demandé une fois ce que je lui trouvais, et elle a attiré mon attention sur le fait qu'il n'était pas fiable. Force est de constater que j'ai été incapable de réunir les pièces du puzzle et de tirer les conclusions qui s'imposaient.

À l'époque je ne comprenais pas pourquoi Lina restait dans cette prison. Ce n'est que plus tard que j'ai compris que les gens n'avaient pas d'échappatoire, sauf la rue.

Je n'avais pas la force de marcher et je me suis assise sur le rebord du trottoir. Après avoir fait un grand effort de mémoire, au point que la sueur me coulait sur le front bien que j'eusse très froid, je me suis souvenue du numéro d'un curé, qui organisait chez lui des réunions et des fêtes, auxquelles j'avais participé une fois ou deux. J'avais envie de prier pour obtenir de l'aide, mais cela m'a paru absurde et inutile. Je me demandais quel jour on était. La rue n'était pas très animée, comme nous étions samedi, ou alors un jour férié. Autre hypothèse : tout le monde était en prison ou mort comme moi. Un homme a répondu à l'autre bout de la ligne et m'a dit de le rejoindre devant la cathédrale aussi vite que possible. C'était loin et je n'étais pas en état de marcher ; je n'avais pas d'argent, donc impossible de prendre un transport en commun ; et en plus de cela j'avais peur d'avoir été suivie. Il n'y avait pas de voitures alentour, personne en réalité : on ne me filait pas. C'était la fièvre qui me faisait délirer. J'ai attendu qu'une voiture passe, et je lui ai fait signe de s'arrêter, toujours assise sur ce trottoir dont je n'arrivais plus à me lever. Je portais alors les vêtements d'une autre, certainement une détenue comme moi, qui avait dû crier comme moi, être violée sans pour autant être tuée comme moi, et qui avait dû accoucher d'un bébé qui avait ensuite été noyé comme le mien.

Dans cette rue qui n'a plus de nom dans mon souvenir, mais qui me rappelle aujourd'hui le quartier de Vila Mariana à São Paulo, une femme – cheveux très courts et grosses lunettes – s'est arrêtée au volant d'une coccinelle blanche et m'a demandé si j'avais besoin d'aide. Avant de me conduire jusqu'à la cathédrale, nous sommes allées à la pharmacie. Pendant qu'on me faisait une piqûre d'antibiotique, de la pénicilline peut-être, elle m'a posé des questions sur ma famille et sur moi-même, en se proposant gentiment de me raccompagner chez moi.

Je lui ai menti en lui disant que j'habitais près de la cathédrale. J'avais peur que des gens m'y attendent ou qu'elle me balance à quelqu'un. Je l'ai remerciée, en proie à un sentiment d'effroi où se mêlaient le désir de rester et celui de fuir. Elle m'a prise dans ses bras et a tiré de son sac rempli de toutes sortes de choses, un bonbon et un morceau de papier où elle a noté son nom et son numéro de téléphone. Il y avait aussi dans sa voiture des vêtements multicolores et des poupées. J'ai eu envie de lui demander si elle faisait du théâtre, mais je me suis abstenue. Je suis restée muette, comme il se doit lorsqu'on n'est pas en mesure de calculer les conséquences de ses paroles. *Si ton état s'aggrave, avale quelque chose.* Elle m'a demandé mon nom à plusieurs reprises. Comme je n'étais pas en état de lui répondre, elle s'est bornée à dire : *la prochaine fois, je t'appellerai Maureen. Tu as une tête à t'appeler Maureen, ou peut-être Laureen.* Elle a pris congé, en me souhaitant chance et bonheur, avec un sourire où se dégageait une générosité que j'ai rarement vu sur un visage. Je ne l'ai plus jamais croisée.

***

Manoel m'attendait devant la cathédrale. Moustache et lunettes sur le nez. Il fumait, fidèle à une habitude dont il s'est départi que le jour où il s'est suicidé, lorsqu'il ne pouvait justement plus porter la moindre cigarette à sa bouche. Il s'est contenté de me tendre un sac en papier, en me disant ça c'est tes papiers d'identité et ça c'est tes vêtements à partir de maintenant. *Ils étaient destinés à ta sœur. Tout le monde sait ce que tu as fait. Personne ne veut plus te parler. Maintenant pars et ne reviens jamais. C'est ta seule chance, alors saisis-la et va-t'en.* Il a allumé une cigarette et en voyant que je ne bougeais pas, les deux pieds comme rivés au sol, il m'a regardé avec un air qui ne pouvait exprimer que de la peine. Devant ma perplexité et malgré cette compassion qui transparaissait dans ses yeux, il dit sur un ton incisif : *Fous le camp, Alice.*

Je ne savais pas quoi dire. Il me semblait que je n'avais pas le droit de poser de question. Je n'avais pas la moindre idée ce que j'avais fait. Je n'avais pas la moindre idée ce qu'ils avaient fait, ou plus exactement de ce qu'ils m'avaient fait.

Je n'arrivais pas à analyser la situation parce qu'à cette époque, je ne connaissais pas les faits dont Manoel m'entretenait. Les substantifs, verbes et conjonctions me faisaient défaut, les concepts, l'imagination, la capacité à penser aussi. Je nageais en plein cauchemar. Je m'enfonçais dans une brume qui devenait plus épaisse à mesure que j'essayais de comprendre. J'ai quand même réussi à demander des nouvelles d'Adriana. Manoel m'a répondu que je ne tarderais pas à en avoir, mais d'ores et déjà, je devais savoir que tout était de ma faute et je ne devais pas l'oublier. C'est l'un des rares souvenirs que je conserve de Manoel à cette époque, lui qui ne m'avait jamais parlé avant, lui qui était l'élève le plus brillant de sa classe et qui paraissait être l'ami d'Adriana, en tout cas je les avais souvent vus discuter ensemble. L'une de ces rares images de Manoel, dont je me souviens, m'apparaît maintenant de nouveau, à quelques mètres devant moi, au coin de la rue où il disparaîtra, ne laissant qu'une trace de fumée de cigarette derrière lui.

Dans le sac qu'il m'a remis, il y avait des vêtements et à l'intérieur, un autre sac, plus petit, avec des papiers d'identité, de l'argent, un billet d'avion, un carnet dont les pages étaient vierges, sauf la dernière où était noté un numéro de téléphone. À ce moment-là, je ne comprenais pas ce qui me valait tant de rancœur de sa part. Quelques temps après, lorsque je l'ai rencontré à Lisbonne, il était tellement ruiné émotionnellement par la destruction de son projet de vie, que j'ai évité de lui demander des explications. Il faut oublier pour survivre, voilà le principe que j'avais décidé de m'appliquer, et que j'applique encore aujourd'hui. Ma conduite envers lui n'était pas dictée par la bonté, ce n'était non plus par naïveté que j'avais laissé les choses comme elles étaient. C'est que le ressentiment qui m'accompagne depuis bien avant ces événements ne m'a jamais paru une bonne stratégie de survie.

* * *

Une robe ornée de petites fleurs, un gilet en laine vert, une perruque, des chaussures et des sandales noires un peu serrées... J'achète une valise à l'aéroport, en faisant attention à ne pas dilapider l'argent que j'ai trouvé avec le billet d'avion. Il m'en reste encore beaucoup. Je ne sais pas s'ils attendent de moi en échange de cette liasse tenue par un élastique jaune. Je pense que le fait d'avoir peu d'affaires est de nature à éveiller les soupçons des employés de l'aéroport. Bien que je ne sache pas encore qu'il s'agit de cela, il est clair que j'apprends à me cacher. Ce billet, ma robe aux motifs floraux, mon manteau vert et cette valise vide sont mes sauf-conduits pour entrer à Lisbonne. J'ai l'air d'un arbre et cela me donne envie de rire. Aucun sourire ne vient s'imprimer sur mon visage. À cet instant, je me trouve en face d'une employée. La jeune femme, qui se tient derrière le guichet, compare la photo d'identité avec mon visage qui ne rit pas ; son regard qui fait plusieurs va et vient, me remplit d'angoisse. Je masque mon malaise en affirmant que je suis fatiguée, et au prix d'un gigantesque effort intérieur, je lui souris. Elle me rend mon sourire, comme si elle imitait mes gestes sans savoir exactement pourquoi. Je dois être la raison de ce sourire, bien que je n'en aie pas l'intime certitude. Quoiqu'il en soit, sa réponse me rend confiante et je corrige ma posture pour me préparer à affronter l'immense queue devant la douane. Le douanier me dit que je suis une véritable plaie, que je dois disparaître rapidement, après m'avoir dit de me tenir derrière la ligne jaune. Il ne regarde pas vraiment mon passeport. Je ne me rends pas encore compte que j'ai de la chance. Je dors pendant tout le vol et je ne me réveille qu'une fois arrivée dans la capitale portugaise, sachant que je dois sortir le plus rapidement possible. C'est peut-être un guet-apens qu'on me tend depuis le commencement ; je peux à nouveau me faire arrêter, victime d'un jeu dont je ne connais toujours pas les règles. Je m'achemine vers la sortie, en pleine paranoïa. Je me laisse guider par les événements, comme si cette forme de renoncement était le remède à un mal dont je suis la seule responsable. J'ai su, bien plus tard, que beaucoup sont devenus paranoïaques, dépressifs pour le restant de leur vie, et qu'ils avaient conçu une méfiance viscérale à l'égard de la nature humaine, laquelle est techniquement instrumentalisée par l'État en vue de commettre mal. J'appelle le numéro qui est inscrit sur le petit carnet que je transporte avec moi depuis le Brésil. Ce même carnet, plusieurs mois plus tard, me servira à écrire des poèmes alors que je suis encore à Lisbonne et que je travaille dans une boulangerie comme femme de ménage, comme si le fait de n'être personne me donnait à peine le droit de m'exprimer.

Après avoir compris comment on appelait en PVC au Portugal, j'entends une voix jeune qui me dit de rejoindre Bélem et d'attendre devant la porte du monastère de Saint Jérôme. Je songe à y aller à pied, je veux m'éloigner des gens, et pour cela, le mieux est de marcher sans arrêt. Lorsqu'on part et que l'on veut mettre une distance avec les autres, il faut marcher inlassablement. Même lorsqu'on produit dialectiquement de la proximité, c'est la distance qui implique le mouvement. Je me dis que la marche m'aidera à comprendre ce qui se passe. Mon ventre brûle, j'ai peur de m'évanouir, et malgré tout, je marche. Je mets plus de deux heures à arriver à destination. Mon corps ne sent pas la fatigue, ni la chaleur, en dépit du soleil ardent.

Je me tiens immobile à la porte du monastère pendant presque une heure, de sorte que je finis par avoir peur et par suspecter un guet-apens. Après tout ce temps en transit, seule la fatigue supporte mon corps et me voilà encore une fois assise sur le bord du trottoir à écouter le vacarme autour de moi jusqu'à ce qu'un grand blanc s'abatte sur mes yeux et que je n'arrive plus à parler.

J'ai dû dormir après m'être évanouie. Je me réveille dans une voiture conduite par une femme, pendant qu'une autre, assise sur le siège passager avant, me parle et me donne une bouteille d'eau. Je suis allongée sur la banquette arrière, les jambes en l'air. Elles me disent qu'elles vont m'emmener chez un médecin. Je lui dis que je vais bien, qu'elles peuvent me laisser au centre-ville, que je me débrouillerai pour trouver un hébergement. Je ne conçois pas qu'elles puissent me secourir sans rien me demander en échange. Cela m'épouvante, mais je ne peux pas montrer ma peur.

* * *

Toutes les réponses semblaient avoir été données avant même que j'aie pu formuler mes propres questions. La femme qui m'avait donné de l'eau a posé un mouchoir sur mon front en guise de compresse. Elle fumait cigarettes sur cigarettes, m'appelait Lucia et me conseillait, insistante, *N'oublie pas de toujours te mettre du rouge à lèvres. Personne ne suspecte une femme toute pimpante.* Ni l'une, ni l'autre ne me paraissait particulièrement pimpantes, avec leur chemise simple, leurs lunettes et leurs cheveux attachés derrière la nuque. *N'oublie pas d'ajuster ta chevelure, souris, n'aie pas l'air triste, personne ne va rien remarquer si tu fais tout comme il faut.* Je lui ai demandé comment elle s'appelait, elle m'a répondu que je le saurais plus tard. L'autre conduisait comme si je n'étais pas là. *Maintenant c'est toi qui t'ap-*

pelles Lucia, n'oublie surtout pas, m'a-t-elle dit comme s'il ne fallait pas plaisanter là-dessus. Une fois arrivées à l'hôpital, le médecin m'a demandé de revenir dans quelques jours, en m'expliquant que mon état n'inspirait pas d'inquiétude et que j'avais seulement besoin de prendre des antibiotiques. Ensuite elle m'a laissée dans une cafétéria, où je commencerais à travailler la même semaine, en me promettant de revenir le lendemain pour m'expliquer la situation. Je ne l'ai plus jamais vue.

La valise que je transportais était toujours aussi vide, même après avoir traversé plusieurs villes. Je la conserve encore avec moi aujourd'hui, rangée au-dessus d'une armoire avec les rares souvenirs de cette époque. La robe aux motifs floraux tombe en lambeaux, j'ai gardé avec moi la perruque que je n'ai jamais portée et le reste de maquillage que m'avait donné la femme sans nom assise à côté de la conductrice, qui était imperturbable. J'ai aussi conservé les sandales usées que j'ai portées très longtemps. C'est mon petit musée. Cette valise pourrait contenir non seulement tout ce que je possède, mais également mon corps et les quelques objets dont j'ai eu besoin dans ces moments de ma vie terriblement irréels.

Pendant des jours et des jours, j'ai habité dans une pension avec des hôtes qui restaient un jour ou une semaine et avec lesquels je n'ai pas pu créer de liens. Aussi bien à la cafétéria où je travaillais que dans les immeubles où je faisais des ménages, j'évitais de parler de moi et même d'aborder tout sujet : je me bornais à répondre aux personnes qui me saluaient, je vivais la tête dans les livres que j'achetais avec mon modique salaire. Je ne savais pas quelle partie était en train de se jouer, mais je savais que je devais la jouer à fond. Il me fallait vivre comme si rien n'était important, comme si je ne savais rien, comme si – bien que présente – je n'avais pas ma place dans la réalité. J'ai longtemps cru que ma fonction était d'être absente. Je savais, j'ai toujours su que c'est le seul moyen de survivre. Mais je n'avais plus envie de jouer, et encore moins de survivre.

8

Lúcia Antonelli Magalhães e Silva est le nom inscrit sur mon passeport. Je le lis et le relis jusqu'à le connaître par cœur, car c'est le nom que j'utiliserai pour toujours, mon nom officiel, je m'appelle comme cela aujourd'hui encore. Un nom qui, faute de pouvoir revenir en arrière, est toujours mon nom. Le nom que je prononce lorsque je me regarde dans le miroir. Un nom qui colle à moi comme un vêtement. Le nom de mon personnage ; ce personnage sous les traits duquel je me suis présentée aux autres et que j'endosse aujourd'hui devant Betina, recréant ainsi un rôle que je croyais dépassé. Me voici devant Betina, affublée de mon nom de guerre. La vie est une guerre, où je suis un corps en trop.

Malgré tout, comme il est impossible de vivre sans utiliser son nom, j'évite les situations où j'aurais à le faire. La fausseté de ma vie apparaît dans ce nom imprimé sur un passeport qui aurait permis à Adriana de vivre dans la clandestinité. Or c'est moi qui vis dans ces conditions maintenant... et cela, jusqu'à mes vieux jours, Cette conscience insoutenable me précipite cependant au fond d'un puits, et comme dans la nouvelle d'Edgar Allan Poe, le pendule menace de me trancher le cou.

***

Alice appartient au passé. Nos parents ont été avertis de la mort d'Alice, et non de celle d'Adriana. On leur a expliqué qu'Adriana a dû partir pour se cacher dans un endroit gardé secret, jusqu'à ce que les choses se tassent. C'est Manoel qui me raconte cela, lorsque nous nous rencontrons au Portugal, avant de passer ensemble un temps aux États-Unis, et de revenir tout de suite après en Espagne où nous avons vécu plusieurs années dans le vide. Je vis comme une fugitive depuis longtemps, j'ai appris à m'habituer à la tristesse et j'avoue qu'à cet instant, l'annonce de la mort de ma sœur ne m'émeut pas. Je ne suis pas non plus impressionnée par le fait que mes parents pensent qu'elle est vivante et que je suis morte. J'ai mis du temps à me rendre compte que mon absence de réaction n'était pas normale.

Dans la lettre que Betina m'a remise en main propre, ma mère raconte qu'elle attend le retour d'Adriana et dit qu'une fois le danger passé, celle-ci doit revenir à tout moment. Elle écrit *ma fille doit être vieille maintenant*.

Depuis qu'elle est arrivée à São Paulo, Betina cherche à avoir des nouvelles de sa mère. Sa quête est longtemps restée infructueuse. Elle n'a plus envie de parler avec sa grand-mère, qu'elle appelle maman, parce qu'elle ne peut pas lui dire tout ce qui est arrivé à sa mère. Rien de plus difficile que de discuter avec quelqu'un avec qui on ne peut pas être sincère, m'explique Betina, dès que nous nous sommes rencontrées, alors qu'elle attend de moi la révélation de secrets que j'ignore. Je lui révèle la part de vérité qui peut être révélée, et je continue de mentir, ce qui est toujours une chose condamnable, quel que soient les bénéfices que je puisse en tirer.

Il y a des personnes à qui il ne reste que le pire d'elle-même. Elles deviennent ce qu'elles ont expérimenté au cours de leur vie.

* * *

Survivre, c'est la seule chose qui reste à faire après la torture. C'est son inévitable continuation. Je réfléchis à cela en cherchant un livre que je veux montrer à João. Un livre allégorique et, de ce fait, des plus réels. Il est temps que tu lises *Sécheresse*, c'est ce que je lui dirai dès que j'aurai mis la main dessus.

C'est alors qu'un homme frappe à la porte, je demande qui c'est, il m'enjoint d'ouvrir, il dit qu'il est là à la demande du maire et que si je n'ouvre pas, je serai amené de force au commissariat. Je regarde par le judas, je fais semblant de ne pas entendre et je demande qui c'est. *Vous pouvez répéter, s'il vous plaît*. Il n'y a personne derrière la porte. J'ai envie d'ouvrir, bien que je sois épouvantée. Je regarde João, qui reste concentré sur ses jeux vidéo dans sa chambre comme si rien ne se passait. Je lui demande s'il a entendu la sonnette, il me dit *non*, il n'a entendu qu'une dispute entre voisins. Ensuite, je n'entends plus rien.

***

Je réfléchis à ce que je vais dire à Betina. Certaines vérités impersonnelles n'engagent à rien, ce sont les vérités que tout à chacun peut connaître, que tout le monde a comprises, les vérités qui sont dans les livres, dans les journaux, les vérités logiques, celles qui peuvent être proférées par quiconque et transmises à n'importe qui, les vérités qui sont devenues histoire, philosophie, anthropologie, sociologie. Jusqu'à présent, j'ai réussi à lui faire comprendre que j'étais proche de mes sœurs, mais pas au point de pouvoir lui donner des détails. Betina doit mettre en relation les différents éléments dans sa tête. Je ne sais pas cependant si je me convaincs moi-même.

Je ne peux pas lui dire qu'Adriana n'était pas à l'école le jour où les hommes sont venus. Je lui raconte que je ne manquais pas un seul cours, alors qu'en vérité, je ne suis jamais arrivée à me lever tôt sans un énorme effort ou sans que ma mère n'ait à hurler pour me faire sortir de mon lit. Maintenant que je ne dors plus, il me revient à la mémoire la saveur de ce sommeil ancien qui date d'une époque antérieure à tout, d'une époque où je n'avais pas encore peur de mourir. Ce jour-là, j'étais en cours et Adriana n'y était pas. Elle m'avait demandé d'avertir les profs qu'elle était enrhumée. Je me suis exécutée, bien qu'elle ne m'ait pas expliqué où elle allait.

À Betina, je dis que mes sœurs étaient toujours ensemble, qu'Adriana suivait Alice partout où elle allait.

Prise en étau entre l'ennui de l'école et la surveillance de ma mère, je comprenais pourquoi Adriana était une lectrice compulsive, qui dévorait tous les livres, tous les romans – Adriana qui savait tout, qui à peine entrée à la faculté de droit donnait des cours dans mon école, où j'étais encore élève même si j'étais à peine moins âgée qu'elle ; Adriana, celle qu'ils étaient venus chercher, celle qui n'était pas là.

Ne l'ayant pas trouvée, ces hommes me demandent où nous habitons. Ils veulent notre adresse, celle de nos amis, de nos parents. Ils m'expliquent qu'ils s'intéressent à ce que nous faisons. Je leur demande de quoi ils parlent, ils me répondent qu'ils ont besoin de lui parler. Ils ne savent pas que nous venons du Sud, que mes parents sont plus vieux que la moyenne des parents des autres étudiants, que je n'ai jamais connu mes grands-parents et que je n'ai plus d'oncles, ils sont morts depuis longtemps, je n'ai donc pas d'adresse de parents à leur fournir.

J'entre dans leur voiture pour les guider jusqu'à chez moi et je les conduis à l'adresse de León. Ils discutent avec moi comme s'ils étaient producteurs et réalisateurs de cinéma. Ils veulent parler à Adriana, me disent-ils, parce qu'ils projettent de faire un documentaire sur le mouvement estudiantin. Ils commencent à se documenter, à rencontrer des gens. Ils me disent que le scénario est déjà prêt. Je leur confie que je suis férue de cinéma, que j'adorerais y participer. On ne dirait pas que c'est moi qui parle, je n'ai jamais été aussi expansive. Ils me disent qu'ils peuvent me lancer dans le cinéma, que je peux être l'actrice principale. Je pense à cet instant que je me débrouille plutôt bien, que j'arrive à les semer joliment ou du moins que je simule de manière convaincante. Chance inouïe, j'étais arrivée à leur faire croire que j'étais disponible, que je n'avais rien à leur cacher.

Nous frappons à la porte, mais personne ne répond. León doit être caché. Il est évident qu'il ne doit pas ouvrir la porte. Je regarde par le judas. Lina nettoie distraitement la cuvette des toilettes sans se poser de question sur son destin, comme moi je ne me pose pas de question sur le mien. Même moi, qui suis idiote, je comprends que cette visite n'apporte rien de bon, que ces hommes ne sont pas des amis d'Adriana, ni les miens, comme ils essaient de le paraître. Ils sont relativement jeunes, ils ont au maximum trente ans, ils ne s'habillent pas pareil que les garçons de notre groupe. C'était peut-être inutile de les amener chez León et peut-être était-ce une erreur, vu que celui-ci est un mouchard, et qu'il peut – de ce fait – se douter de quelque chose, bien que pour l'heure il ne soit au courant de rien. De toute façon, il faut que je les dépiste, que je gagne du temps, et pour cela je n'aurais pas pu avoir meilleure idée que d'aller frapper à la porte de León.

Les hommes me regardent d'un air suspicieux. Je leur explique que je n'ai pas la clé, que la porte est toujours ouverte, je parle avec une assurance que je ne me connaissais pas. Que si nous attendons un peu, quelqu'un va arriver. Je leur dis que mes parents sont en voyage et que l'employée de maison a dû sortir pour aller acheter du pain, mais qu'elle doit revenir bientôt. Qu'Adriana sera bientôt à la maison. Ils reviendront dans la semaine pour avoir une conversation, disent-ils après un long silence. Le plus gros prend des notes sur un carnet. L'autre, le plus disert, me dit qu'il aurait voulu boire un verre d'eau, mais qu'il le ferait une autre fois. J'attends que la voiture disparaisse, je m'assieds sur le trottoir ; j'ai envie de pleurer, mais je n'y arrive pas.

J'apprends à cacher Adriana, la propriétaire de l'histoire qui ne m'appartient pas, l'histoire dont j'ai hérité, l'histoire d'un paradoxe, l'histoire de ma vie, une vie qui n'a pas été vécue. L'histoire dont Adriana a été privée, l'histoire que je n'ai pas non plus eu le droit de vivre.

* * *

Je raconte à Adriana l'étrange visite des cinéastes. Elle est alarmée. Elle me pose des questions sur chaque détail physique, sur chaque phrase prononcée, je lui dis tout ce que je sais, je relate même les pauses, les silences. Je ne me souviens pas des noms. Les noms ne sont pas importants, ces hommes étaient des imposteurs, je le sais, elle le sait. Je lui dis que j'y ai presque cru. Que ce serait extraordinaire s'ils étaient de vrais cinéastes et s'ils faisaient un film sur la vie des étudiants. Adriana m'explique qu'ils sont venus pour nous arrêter. Que nous sommes le gibier et eux, les chasseurs. Que je ne dois rien dire à personne.

Dans les jours suivants, Adriana est davantage présente à la maison. J'essaie de discuter avec elle dans la cuisine, dans le salon, pendant qu'elle prend son bain, mais notre mère ne nous quitte pas. La nuit qui précède notre arrestation, je la réveille pour discuter et elle ne veut pas m'écouter, elle est fatiguée, elle a envie de dormir, elle me dit qu'elle me parlera lorsqu'elle le jugera nécessaire et que pour l'instant, je dois faire preuve de patience et me taire.

Depuis cette époque, je suis réveillée tous les matins par des hommes étranges. Ils sont chargés de nous conduire dans une pièce où se dérouleront des interrogatoires, ils montrent leur visage dur, des visages aux traits flous comme lorsque j'enlève mes lunettes. Ces visages se mêlent dans ma mémoire. Ils m'avertissent tous ensemble que mon histoire ne m'appartient pas. Que je ne saurais jamais où je suis, ni où je dois aller.

Je continue à perdre le contrôle de mon histoire. Je vis où je ne devrais pas vivre, je ne peux rien attendre de rien, ni de personne. Impuissante, je ne sers à rien non plus. Privée d'identité, rejetée hors du temps, j'entends un son métallique, un écho qui répète Adriana mille fois de suite. Je m'aperçois que ce qui compte dans la vie, c'est le temps, ce poids de plomb, qui en se densifiant me laisse en suspens dans les airs.

À chaque jour qui passe, je perds une partie de cette histoire non vécue, et j'oscille entre un cadavre abandonné dans une morgue et une image floue qui se reflète dans le miroir où je me regarde maintenant et qui ressemble au fantôme de moi-même.

* * *

Quelques jours plus tard, suspendue tête en bas, bras et pieds ligotés, une pensée me vient de l'extérieur, se déploie dans mon esprit comme une légende et m'arrache, comme un livre qu'on a très envie de lire, de l'espace et du temps auxquelles je suis assujettie. Cette pensée dure pendant des jours et laisse mon corps complètement anesthésié par la douleur et par l'horreur.

Le tortionnaire cherche son égal. Il est en quête d'un partenaire, d'un miroir, d'une preuve qui puisse attester son existence. Il est prisonnier d'une solitude incommensurable. Il sait qu'il n'existe pas, de même que n'existent pas ceux qui, aujourd'hui, vendent la terre, la forêt et même l'eau, détruisant la vie de populations entières. Le tortionnaire inflige à des corps ce que d'autres infligent au corps de la terre. Il n'existe pas et veut faire en sorte que je n'existe pas non plus.

Avant de maltraiter les fleuves et les mers, les forêts, les villes, les maîtres du monde se font la main en torturant les corps humains. Ils vivent dans des hélicoptères qui survolent la ville dont ils massacrent la population sans avoir à se salir les mains. On torture des gens à chaque minute en les privant de nourriture, de soins, en détruisant leurs espoirs, leurs désirs. Dans leurs yachts de luxe amarrés dans des marinas asséchées, ils restent insensibles à cette souffrance. Ils se nourrissent de charognes, comme des vautours qui peinent à voler et qui ne se rendent pas compte qu'ils reproduisent misérablement le complexe d'Icare, dont ils ne peuvent pas se délivrer.

* * *

Je ne pensais qu'à anéantir ces ennemis dont je ne connaissais pas le nom et qui me violaient sans scrupule tout en évitant de me tuer. Leurs visages me viennent à l'esprit comme un essaim d'insectes vénéneux qui entrent dans mes orifices et que j'éradiquerais peut-être, s'ils n'ont pas raison de moi. Au cours de ces journées, alors que j'étais immobile et couverte de sang, et que je perdais graduellement ma condition d'être humain, je me demandais ce qu'ils avaient fait d'Adriana, et j'étais envahie par une suprême haine. Elle était devenue pour moi la responsable de tout ce qui m'arrivait. Dans cette atmosphère de mort, je n'arrivais pas à penser vraiment à autre chose d'elle.

Du fond de ma souffrance, je me figurais qu'Adriana savait exactement tout ce que nous faisions, qu'elle était captive comme moi, et qu'elle m'avait imputée tous les crimes. J'imaginais qu'Adriana leur avait révélé que j'étais avec León et qu'il avait été ainsi facile de me retrouver, délire auquel je ne me suis délivrée que bien des années plus tard. Rendue paranoïaque par les atrocités du gouvernement et par celles dont les gens eux-mêmes sont capables, je croyais qu'Adriana en savait plus sur moi que je n'en savais moi-même.

Je n'ai survécu qu'à la faveur d'un effort mental, qui m'aidait à supporter émotionnellement ma situation. Je me représentais moi-même en train de m'évader et de capturer ensuite mes ennemis. Je me rends compte aujourd'hui que je déraisonnais complètement. J'ai mis du temps à comprendre le rôle rempli par chacun des geôliers, par chacun des soldats, par chacun de leurs supérieurs, ou encore par ce médecin œuvrant pour ce système malfaisant qui fonctionnait obscurément et dont le nom est torture. Je n'étais qu'une matière sur laquelle on appliquait soigneusement je ne sais quel acide pour voir combien de temps elle résisterait avant de se briser. J'ai tardé à comprendre cette logique de l'abjection. J'ai tardé à comprendre la vie lorsqu'elle est confrontée jusqu'au délire à une non-vie qui n'est pas encore la mort.

Dans cette salle de torture, bizarre théâtre où des personnages indiciblement mauvais pratiquaient les atrocités les plus abjectes, j'interprétais le personnage le plus superflu, qui serait détruit dès qu'on le jugerait nécessaire, un personnage qui était obligé de rester vivant, alors que mourir était paradoxalement synonyme de libération. Moi, personnage superflu d'un récit abject. Un récit qui vise à rendre le corps répugnant et, à travers lui, l'esprit lui-même.

* * *

Pieds et mains liés. Ils me menacent de me couper les seins. Un homme demande *où sont les autres*. Il me prévient qu'ils seront tués, chacun leur tour. Que ma langue sera arrachée. Electrochocs. D'abord sur les pieds, ensuite dans la vulve, sur la tête. Il m'appelle Adriana, je n'arrive pas à répondre.

Ils me disent : *toutes les Adriana paieront cher. Elles seront kidnappées en pleine rue. Toutes sans exception. Elles viendront ici pour t'aider à régler ton problème.* Au milieu de cette confusion, je pense que mon nom n'est pas Adriana, qu'il y a un malentendu effroyable, et je me demande ce qu'elle ferait si elle était là, à ma place.

Ma peau devient épaisse comme une écorce. Après plusieurs jours dans la chambre froide, mes jambes sont paralysées et ma peau, dure comme la pierre. Cela ressemble à un cauchemar, un cauchemar né du cri que je pousse dans l'espoir qu'on me tue d'une balle dans la nuque. Ce serait pratique, pense-je. Mais pour une raison qui m'échappe, je n'ai pas droit au coup de grâce.

* * *

Je ne sais pas ce qui reste de mon corps, je ne sais pas ce qui est entier et ce qui est en morceaux, je ne fais pas la différence entre la peau lisse et la cicatrice, l'oreille qui entend et celle qui n'entend pas, l'œil qui voit et celui qui ne voit pas. Je ne connais toujours pas la femme dont je ne peux pas voir le visage et qui baigne dans une flaque de sang, les jambes écartées, allongée sur le sol en béton de ma cellule. Depuis longtemps, la peur est un rideau noir avec lequel je bouche les fenêtres qui donnent sur cette chose monstrueuse qu'est la vie. Même aujourd'hui, j'ai du mal à comprendre. Je n'arrive pas à imaginer mon visage au milieu de tout cela.

Je pense à présent au visage de ma mère, je me demande ce qu'elle dirait en me voyant avec ces paupières fatiguées, cette peau desséchée, ces cheveux qui blanchissent un peu plus chaque jour. Elle me dirait que je suis vieille et qu'Adriana, elle, ne change pas. Si la vie avait suivi son cours normal, je crois que j'en rirais aujourd'hui.

Après avoir passé des années à côté du téléphone, la télé allumée, à attendre des nouvelles, l'imagination hantée par les morts, dont moi-même, ma mère rêvait d'Adriana sans plus se faire aucune illusion. C'est alors que j'aurais fait mon apparition dans l'encadrement de la porte, avec mes soixante-ans, l'âge que j'ai aujourd'hui, faisant face à une vieille femme de plus de quatre-vingt-dix ans, ne vivant plus que de souvenirs. Elle ne bougerait pas du vieux siège marron où elle a passé ses dernières années et elle me demanderait quand je suis morte, et je ne serais pas arrivée à lui demander quand elle a eu une vie, à supposer qu'elle n'ait jamais vécu.

Incrédule, elle regarderait dans les yeux cette apparition venue directement de l'autre monde. Elle me demanderait si je sais que mon père est mort, si je l'ai vu, si je l'ai rencontré là d'où je viens, et sans sourciller, elle me demanderait si je suis venue la chercher.

Mais cela pourrait être pire que cela, elle pourrait faire semblant encore une fois de ne pas m'avoir vue.

* * *

À l'intérieur du couloir de la mort qu'est la vie, il y a d'autres couloirs. Et c'est dans ce couloir de la mort que je marche lentement ; il aboutit toujours au même chemin qui se ramifie lui-même en d'innombrables couloirs conduisant au même endroit. En m'engageant sur ce chemin que tout le monde emprunte, j'arrive à un couloir qui s'ouvre seulement pour moi, un couloir où je serai amenée à entrer comme si je n'étais pas morte, ou comme si j'étais vivante. Il mène à des limbes où je dois rester entière bien que je sois réduite en morceaux, des limbes où il est obligatoire d'espérer rejoindre la sortie, alors que je sais qu'il n'y en a pas et que toute survie, à supposer qu'elle soit possible, ne serait que partielle.

Je suis réveillée tous les matins par le surveillant qui s'occupe de mon secteur, je sais que les jours passent parce que les geôliers changent, un jour c'est Angela, qui ne mérite vraiment pas son nom, un autre jour c'est Ronaldo, un autre encore c'est Alfredo. La douleur me plonge dans un état d'engourdissement qui me fait oublier le respect que je devrais leur réclamer.

Je me souviens de ces trois noms et de la manière dont ils m'appelaient.

Je me rappelle le style, de la créativité de chacun : Geni, Claudinha, Mariazinha, Fernandinha. Contrairement à l'homme ou aux hommes qui me violent, ils ne m'appellent pas par des noms d'animaux. Celui dont j'ai le plus peur, c'est Alfredo, l'homme au panama. Lorsqu'il m'amène aux interrogatoires, il me tient en me serrant fort, me tripote les seins, et je ne dis rien parce que j'ai peur qu'il continue ou qu'il me fasse des choses pires encore. Je ne sais pas ce qui peut être pire que les tortures que j'endure déjà. Il est différent du violeur. Mais je ne saurais dire en quoi exactement. Je n'ai plus rien qui m'appartienne, je ne possède plus ni corps, ni pensée, j'ai perdu toute dignité et si je n'avoue pas ce que je sais aux colonels qui m'interrogent avec une violence de chien enragé, c'est uniquement parce que je ne sais rien du tout. Lorsque j'arrive à leur demander pourquoi ils me font ça, ils éclatent de rire, ensuite ils me donnent une claque sur la tête, en me disant qu'ils veulent que je me fasse dessus et que je meure étouffée dans ma merde.

* * *

Je n'entends plus leurs paroles, lorsqu'ils m'infligent des électrochocs, lorsqu'ils me frappent les oreilles. Longtemps après les faits, Manoel me raconte qu'on appelle cela le supplice du téléphone, et je ris au moment où il prononce le mot *téléphone*. Il me dit que ma réaction est stupide. J'arrête de rire. J'ai peur qu'il veuille me tuer, ou se tuer lui-même, lorsqu'il sort ainsi de ses gonds, et je me rappelle que moi aussi je trouvais stupides les militaires qui donnait des noms à chaque type de torture.

C'est alors que me vient à l'esprit le téléphone sans fil qu'Adriana et moi fabriquions avec des boites de conserve, lorsque nous étions enfants. Là aussi, elle me disait que j'étais stupide parce que je me laissais facilement distraire et que j'arrêtais à peine le jeu commencé. Lorsqu'ils m'enroulent de fils de cuivre et me jettent de l'eau dessus pour augmenter l'intensité de l'électrochoc, je continue à ne pas comprendre, j'entends quelqu'un dire *idiote*, je mets du temps à comprendre que la douleur en est ainsi accentuée. Lorsqu'ils me frappent avec la même verge que mon professeur utilisait à l'école pour punir nos erreurs en maths, je ne comprends pas non plus et je me demande aussitôt si décidemment je ne suis pas stupide.

Je revois Hildo à l'âge de huit ou neuf ans, petit enfant noir et affamé, qui arborait pourtant une coupe de cheveux soignée témoignant de sa propreté et de son respect de l'institution. Je me rappelle que la maîtresse le tenait par une touffe de cheveux qui ornait le sommet de sa tête, coiffé qu'il était comme un petit soldat, et elle frappait son crâne contre le tableau noir, pendant qu'elle le regardait avec des yeux effarés. À cet instant, je suis convaincue qu'il faut s'effacer pour survivre dans ce monde. Enfant, j'avais peur de revenir de l'école avec le même regard terrorisé que Hildo. Je me demandais à quoi servait l'école, je me demandais si cela servait à apprendre à avoir les yeux exorbités, à apprendre à avoir peur et à pleurer sans se plaindre.

Je me retire en silence dans mes pensées. Je songe à rendre visite à Cacilda Becker, à lui apporter des fleurs. Dans ce monde où nous imitons les vivants, nous ne connaissons pas la paix. J'apprends à aimer les morts en voyant ce dont les vivants sont capables.

* * *

Le lendemain de mon arrivée à la prison, c'est mon anniversaire. Je suis épuisée. J'ai perdu la notion du temps, confondant les jours et les nuits. Je voudrais savoir s'il existe un fil dans la mémoire qui relie ces opposés. Je me campe sur mes jambes comme si une attitude déterminée était suffisante à me faire tenir debout.

Tous les matins depuis quarante ans, quelqu'un m'amène par le bras, que ce soit un policier, un colonel, un général, ou un geôlier coiffé d'un panama, qui marche lentement et me touche. Quelqu'un m'amène dans le couloir, que ce soit en me crachant dessus ou en baissant les yeux, que ce soit en me donnant un morceau de pain ou une gifle. Il y a celui qui me tire les cheveux, celui qui les coupe, celui qui me viole, celui qui ouvre la porte d'un coup de pied et me conduit dans ce couloir de la mort qu'est la vie. Il y a celui qui me tient par le bras, palpe mes jambes avec sa matraque comme pour m'avertir que je dois faire attention à la fin du monde. Je raconte à Antonio que les douleurs perdurent, il ne comprend pas ce que je dis, je ne peux pas mieux lui expliquer. Je crie à la fenêtre. Il me traite de folle et essaie de m'emprisonner dans ses paroles empoisonnées.

João dort sur mes genoux et je sais que je ne suis pas morte.

* * *

Les coups de pieds et les insultes me transportent vers une époque connue. Je me réveille, comme depuis des années, dans la chaleur mouillée de mon lit. Je me lève en sursaut et je me désole de ne pas avoir pu empêcher « cela ». Ma mère me frappe avec ce qui lui tombe sous la main, cette fois c'est le manche d'une louche. Pas une cuillère en bois, ni un balai, ni un morceau de tuyau d'arrosage, ni le fil électrique d'un fer à repasser. Je ne sais pas ce qu'elle fait de si bonne heure avec une louche à la main. Je ne sais pas si elle versait du lait dans sa tasse ou si c'était le premier objet sur lequel elle est tombée avant de gagner la chambre que je partage avec Adriana.

Je me réveille sur le sofa en sentant l'odeur de vinaigre que ma mère m'a versé dans les narines. Je comprends que je me suis évanouie à en juger par l'expression effarée de mon bourreau, qui détourne les yeux des miens.

J'apprends à supporter l'insupportable. Quiconque réussit cette prouesse abandonne son propre corps à mi-chemin. Je n'ai même plus la force de sentir quoique ce soit, ce qui paradoxalement me rend plus forte.

* * *

Mon histoire m'échappe un peu plus chaque matin, chaque après-midi, chaque soir, comme le givre fond sur un sol infertile. J'ouvre et referme un livre qui n'a pas été écrit, alors que le froid entre par une porte qui ne se ferme pas.

Je marche dans ce couloir, les mains tuméfiées par les coups, les mains meurtries par les menottes, les genoux écorchés, les dents restantes ensanglantées, les cheveux et le corps tout entier couvert de sang, d'urine et d'excréments, mon corps sali par mon propre corps, et je persiste à vivre là où je ne suis pas, là où je ne serai jamais.

9

Un sac à dos sur les épaules et une serviette grise à la main, Antonio s'assied à côté de moi sur le banc de la place de la cathédrale, où il me laisse me reposer après des heures de marche à travers la ville. Mon genou me fait mal, c'est le signe avant-coureur de la vieillesse, que les gens minimisent en disant que l'« âge » arrive.

Quarante heures de bus en étourdiraient plus d'un. Antonio me pose des questions triviales pour mieux me cacher qu'il a peur d'avoir traversé tout le pays dans le seul but d'atteindre ce qui était naguère son centre. Il feint d'être intéressé, il tente d'équilibrer sa voix et son corps. Il commence par me demander qui je suis, ce que je fais là, si je suis de São Paulo, si je connais bien la région. Entre deux sourires forcés, il essaie de me faire croire qu'il est à l'aise, et j'ai envie de lui expliquer ce que signifie « être à São Paulo ».

Antonio s'exprime d'une drôle de manière, c'est peut-être cela qui m'attire chez lui. C'est une journée froide et ensoleillée et je ne connais pas encore Betina. L'image d'Antonio se désagrègera bientôt comme celle d'autres hommes. Je lui dis que São Paulo est une ville qui échappe à toute compréhension, on peut seulement en faire une expérience métaphysique, qu'on ne peut pas même considérer comme mauvaise, attendu que chacun de nous vient d'endroits pires encore. Je voudrais lui dire qu'il est arrivé trop tard, mais je ne peux pas anéantir tous ces espoirs d'un seul coup.

Il sourit pour masquer sa peur, comme je le faisais moi-même dans les moments de solitude qui m'ont poussé à revenir ici. Nous sommes dans le cœur pervers du capitalisme brésilien, dis-je à Antonio. Il rit et me demande si je plaisante. Dans quelques mois, lorsque nous serons devenus proches, il me demandera si je suis folle, tel est le pouvoir malfaisant qui naît de la fréquentation intime d'une personne. Antonio ne tarde pas à me montrer son absence totale de qualité intellectuelle, sa déficience spirituelle, que la médiocrité de ses performances sexuelles ne compense pas, bien que je le paie toujours un peu plus que convenu : au fond j'ai pitié de lui et je sais qu'il n'est pas à l'aise avec cette activité qu'il exerce parce qu'il a désespérément besoin d'argent, sans quoi il ferait autre chose. Si j'étais plus jeune, je ferais le même travail. C'est d'ailleurs ce que je faisais lorsque j'étais l'épouse de Manoel. Heureusement, celui-ci n'était guère exigeant en la matière. J'étais davantage sa domestique et son infirmière que sa pute que je – de toute façon – il n'a jamais désirée.

Le cœur gangréné du capitalisme palpite. Nous sommes au cœur de l'une de ses blessures. Le corps de la planète est couvert de blessures. Je préviens Antonio qu'il n'épuisera jamais São Paulo. La capitale de l'apôtre chrétien est partout. Il n'a aucune chance d'y réussir avec son type amérindien. Je lui demande comment il a eu le courage de venir ici, alors que nous venons d'essuyer un coup d'État et que les Paulistes ont élu un psychopathe pour maire. Il récuse le terme de coup d'État et bien d'autres encore dont je lui parle ensuite. Dès lors, je dois contrôler mon langage. J'ai avec lui des relations sexuelles toujours plus vides et fades, je m'attache à cet aspect des choses, même si ce n'est pas le plus intéressant et qu'il prête le flanc au critique des moralistes. Je me console en le regardant. Il est beau contrairement à la majeure partie des hommes.

Antonio me demande si je suis communiste. Je ris, agacée par la conversation qui s'annonce. Il me dit que je dois arrêter d'aborder constamment ces sujets, que j'ai besoin de tomber amoureuse. Moi qui ne parlais déjà à personne, je m'enfonce peu à peu dans le silence et je perds toute envie de rire. Ce n'est que beaucoup plus tard que je lui dirai au téléphone qu'il me fatigue, que je n'ai pas besoin d'amour, que le mot amour est dénué de sens pour moi. Et qu'il pourrait au moins faire un effort pour être drôle. Mais Antonio n'est même pas capable de se comprendre lui-même, il vaut mieux le laisser tranquille jusqu'à ce que la lassitude nous sépare.

Lorsque nous nous rencontrons sur la place, Antonio est en train de chercher l'hôtel Anarquia, où un de ses amis venu de Belem habite depuis plusieurs mois. J'essaie de l'aider à se localiser dans cette ville en ce lundi après-midi de grand froid. Je le préviens qu'il n'existe pas d'hôtel avec ce nom. Il m'assure du contraire et m'affirme qu'il est situé dans le centre-ville, à la rue Aurora. Je lui promets de l'accompagner jusque-là. Trois pâtés de maisons plus loin, je lui indique le chemin, je décide de prendre un taxi et de rentrer chez moi. Depuis que je le connais, discuter avec lui m'assomme.

* * *

Je retrouve Antonio sur la place de la cathédrale, où je m'arrête avant de gagner la place Ramos de Azevedo. Nous nous asseyons sur les escaliers du Théâtre Municipal. J'observe les gens, lui aussi m'observe. Nous bavardons un peu. L'hôtel Anarquia est situé rue Vitoria et non rue Aurora. Je me rends compte combien ces noms sonnent de manière ironique dans une ville toujours plus opprimante et privée de futur. Son ami est un professeur de philosophie qui, d'après Antonio, se prend pour un génie comme tous les professeurs de philosophie. Il l'aurait reçu froidement, oubliant qu'ils ne s'étaient pas vus depuis plus d'un an. Antonio est un provincial qui essaie de se convaincre qu'il est un homme ouvert sur le monde. Je ne lui dis pas que seuls les provinciaux ont des désirs d'ascension sociale, des velléités d'ouverture sur autrui, la prétention de faire partie d'un univers que d'autres ont intégré sans avoir eu besoin de faire des efforts pendant toute leur vie. À São Paulo, personne n'attend rien de personne. Tout le monde est d'une certaine manière abandonné à son sort, à moins que tout le monde soit uni par le même manque. Dans l'intérieur du pays, les gens prisent encore les rencontres, le regard, une forme d'échange et de reconnaissance. Je me console en me disant qu'ils ne quittent jamais vraiment leur province même en venant ici. Je préfère ces gens-là, qui seront toujours un peu perdus dans la grande ville et qui comme Antonio ne comprennent pas certaines choses. Ils ignorent la règle qui stipule qu'on ne peut rien attendre des autres.

Après quelques minutes de conversation, Antonio tire de sa serviette un tas de feuillets, qu'il appelle « son livre ». À ses yeux, je suis différente des autres personnes qui sont assises sur la place en ce moment. Il s'apercevra bientôt que nous sommes tous les mêmes, qu'on ait un toit ou qu'on n'en ait pas, qu'on ait de l'argent pour acheter de l'eau ou qu'on doive s'abreuver à la réserve d'eau asséchée. Mais Antonio préfère croire que le meilleur des mondes où il vient d'arriver lui réserve des joies extraordinaires et que le malheur ne s'abat que sur les autres. C'est la première fois qu'il vient à São Paulo et c'est aussi sa dernière, sa seule, longue et unique fois. Je le sais. Je ne me risque pas à le lui dire. Je ne m'avoue pas à moi-même que je vais m'attacher un temps à lui avant de me lasser.

Les premiers jours, il est une pièce du décor, qui se détache du reste, pareil à une enseigne lumineuse. À ce titre, il ressemble à tant d'autres gens qui déambulent dans la rue, tels des panneaux d'affichage itinérants qui feindraient d'être des êtres vivants en quête d'un lieu et d'une époque, d'un interstice dans le chaos de la grande ville qu'ils voient pour la première fois et qui, pour moi, n'a plus rien du meilleur des mondes, n'a plus rien de bon, n'a plus rien d'un monde, n'ayant jamais été ni l'un ni l'autre.

Antonio me demande qui je suis, ce que je fais assise au milieu des gens et des chiens errants. Sans attendre ma réponse, il me dit que je ne peux être qu'artiste, que je dois être écrivaine, que ma présence ici, sur cette place, est invraisemblable. Je retiens le mot « invraisemblable », et lorsque des mois plus tard, je l'emploie pour qualifier l'attitude de Betina, qui me confie João pendant plusieurs jours pour partir en voyage, il me reprochera d'être pédante. Ce qui est ennuyeux dans la fréquentation intime d'Antonio, c'est qu'il devient peu à peu un grain de sable qui fait gripper la mécanique du quotidien à mesure que la malchance l'aigrit.

Betina part en voyage et je m'occupe de João pendant quelques temps, comme ma mère s'occupait d'elle auparavant, ce qu'elle ne savait pas bien faire, me dit Antonio. Betina est comme cela à cause de moi, continue-t-il, et lorsque je lui demande ce qu'il entend par

« comme cela », qu'est-ce que cette expression signifie du point de vue de sa logique, il me répond seulement que ce qui est fait est fait.

Antonio n'a jamais vu Betina. Les phrases toutes faites, les formules stéréotypées, les jugements à l'emporte-pièce procurent une grande satisfaction à des gens comme lui. Le discernement ne peut pas être le point fort d'un jeune homme d'extraction modeste qui a des prétentions intellectuelles et qui monte à la grande ville sans y trouver sa place au soleil. En même temps, je sais qu'il a envie de mieux penser. Seulement, il n'en a pas les moyens. Le fait que je me sente très proche et, en même temps, très éloignée de lui, continue à être un mystère pour moi.

Antonio vient seul à notre rendez-vous. Et aujourd'hui, même lorsque je suis à ses côtés, même s'il m'appelle tous les jours pour discuter, il m'aide à être seule. Il m'aide, comme le faisait autrefois Manoel, à me tenir éloignée de tout le monde. Grâce à ce rôle de gardien de ma solitude que je lui ai assigné, j'arrive à supporter sa présence.

Avec le temps, j'apprends à soutenir des discussions où je lui donne toujours raison, où je parle peu et j'écoute beaucoup. Je ne peux pas dire que je préfère écouter à parler. Il est probable que ce soit cette vérité que je cherche à découvrir en discutant avec les gens sur la place, notamment les femmes, qui me racontent des histoires encore plus terribles que la mienne. Combien de ces femmes ont fui un mari, un compagnon, un homme qui menace leur vie et celle de leurs enfants, et qui en sont si traumatisées qu'elles n'arrivent pas à dire d'où elles viennent et où elles vont.

Je n'ai pas non plus envie de parler de moi. Le jour où Antonio a fait son apparition et que nous avons discuté pour la première fois, je me présente sous mon faux nom, qui est devenu le vrai, et lui se présente comme Antonio Cruz. Je ne savais pas quoi lui demander à son sujet, et je savais encore moins lui parler de moi. Il était rempli d'impatience, ce qui le différenciait radicalement de toutes les personnes hagardes qui paraissaient sur la place. Du coup, je lui offrais la sécurité existentielle minimale à laquelle tout le monde aspire, qu'on soit riche ou pauvre, intelligent ou idiot. Moi qui n'ai jamais cherché à me fixer, moi qui ai toujours mené ma vie à l'aveuglette, je pense que je n'ai pas fourni à Antonio le lest qui l'aurait empêché de partir à vau-l'eau dans la monstrueuse ville qu'est São Paulo.

Antonio pressent ma fragilité depuis le début. Il accepte ce que j'ai à lui offrir. Argent contre sexe. Le néant en échange du néant.

* * *

J'explique à Antonio que j'ai appris à me distraire, que j'ai appris à oublier, lorsque j'ai enfin réussi à rompre sa barrière d'arguments préconçus. Antonio me parle d'une manière mesurée, sans me donner le temps d'expliquer mon point de vue, que j'essaie en vain de mettre en forme. Alors je ne dis pas grand-chose, au fond, moi aussi j'ai peur de lui, bien que je donne l'impression de ne pas m'intéresser à lui, ce que je tente de masquer jusqu'à ce que je ne me sente plus coupable de le laisser parler tout seul. À un moment donné, je me demande s'il me parle vraiment, tant il semble incapable de concevoir que l'autre peut avoir raison.

* * *

Assis dans ce qui pourrait être la salle d'attente d'un cabinet médical, Antonio passe la matinée à attendre un éditeur qui ne le reçoit pas. Il reste d'abord jusqu'au début de l'après-midi, puis le lendemain jusqu'à la fermeture des bureaux, et la semaine suivante, il partira sur la suggestion de la secrétaire sans même laisser son manuscrit, qui reste dans sa sacoche grise. Il prétend que les gens n'accordent d'intérêt qu'à ce qu'on leur remet en mains propres. Antonio est d'un autre temps, il est à la fois si jeune et si vieux.

Il est épuisé, mais fait mine que ses échecs ne l'ont pas ébranlé. Il me regarde de la tête au pied, ralentit son débit de parole, lorsqu'il s'aperçoit qu'il parle trop vite et que je ne comprends pas ce qu'il dit. Il me demande ce que je fais, qui je suis, d'où je viens, comme s'il ne m'avait jamais posé cette question auparavant. Je ne lui réponds pas, ni maintenant, ni jamais. Je ne lui accorde pas longtemps mon attention. La ringardise d'Antonio finit par être fatigante. L'intensité du plaisir sexuel qu'il procure ne dépasse pas celui d'une séance de relaxation prodiguée par un masseur d'un niveau à peine professionnel.

J'ai délibérément choisi la compagnie d'Antonio : j'avais besoin d'un exutoire pour me purger des longues années passées avec Manoel.

***

Je cherche un argument qui me délesterait du sentiment de culpabilité qui grandit en moi à chaque fois que je vois Betina, ce qui me donne l'envie d'être Adriana alors que je ne suis d'une certaine manière que ce qui reste d'elle.

Je dis à Antonio que je suis triste d'avoir le rôle de la victime dans cette histoire. Que tout aurait pu être différent et qu'il n'y a rien de plus douloureux que de se retourner sur un passé vide. Je lui dis à nouveau que j'aimerais modifier le destin. Que les événements historiques dont je suis victime ont également porté préjudice à Betina. Antonio me dit que je cherche une explication abstraite au simple fait que le communisme est cet événement historique. Je n'étais pas communiste. Le communisme n'existe pas. Malheureusement, je lui fais malgré moi une réponse à laquelle je ne crois pas du tout. Or, Antonio est incapable de comprendre un tel degré de complexité.

Il ne supporte pas de me voir discourir sur les intérêts économiques nord-américains et sur les grands capitalistes, responsables de l'état de fait actuel. Je ne pouvais pas imaginer ce qui se passait à cette époque. Antonio ne me laisse pas parler, il prétend que les motivations abstraites ne mènent à rien. Que l'inconscient n'existe pas, que le capital c'est la liberté, que je suis une rêveuse. Selon lui, je suis victime de mes conceptions abstraites, moi-même je suis une abstraction, un reliquat. Je suis l'impensé de l'Histoire. Antonio cache son irritation en éclatant de rire. Il affirme que je suis une agente infiltrée. Une intellectuelle. Il me demande ce que je cache. Je suis immobile devant lui et j'essaie de ne pas écouter ce qu'il me dit. Il déclare, mettant un terme définitif à la conversion, que l'espoir que je défends est déjà mort et que je ne m'aperçois pas que j'ai été dévorée par l'Histoire parce que je suis prisonnière de mes illusions. Je suis une femme et je paie pour le romantisme attaché à ma condition.

Lorsque je pars me promener, laissant Antonio assis dans un café de la rue Augusta, où nous nous étions arrêtés pour échapper à l'étrange chaleur qui règne depuis midi et qui semble embraser la ville toute entière, je me demande où est passée Betina. Il y a plus de deux semaines qu'elle est partie en me laissant João et qu'elle n'a plus donné de nouvelles.

À cet instant, alors que je compte les pierres carrelant le trottoir que j'arpente, je m'aperçois combien j'ai perdu la trace de tout espoir, et je ne sais pas où en retrouver.

* * *

Les gens comme Antonio se nourrissent de leurs propres peurs : peut-être de la peur de mourir, si naturelle, ou de la peur de la faim, qui est également devenue naturelle, bien qu'elle soit masquée par la culture consumériste qui nous transforme tous en charognards, comme je l'avais dit à Antonio, le jour où nous nous étions rencontrés pour la première fois sur la place. Peut-être qu'il se nourrit de cette peur propre à quiconque est capable de vivre dans une ville comme São Paulo, où tout peut arriver, mais de ce fait doit chercher des points de repère un tant soit peu fixes dans une église, un musée ou un magasin, et plus rarement, dans le regard d'autrui. Car ce regard existe, aussi fugace soit-il, et Antonio connaît cette peur qui permet à l'autre de se reconnaître comme son égal. C'est un regard où la peur de l'un dialogue avec celle de l'autre.

Antonio veut savoir de quel rêve je nourris ma vie. Je lui réponds que le monde que j'habite est entièrement réel, que je ne rêve pas ma vie. Je suis le produit d'un grand délire étatique, d'une fantasmagorie née d'une malédiction gouvernementale, mais il ne comprendrait pas si je formulais les choses ainsi. J'aimerais tellement lui dire que c'est cela qui me sépare de Cacilda Becker. Lorsque je considère mon passé, je me dis que j'accomplis un destin. Je temporise, laissant la conversation divaguer avec l'imprécision qui convient au moment présent. Les choses sont trop réelles, dis-je à Antonio, lorsque j'essaie de m'exprimer de manière plus rigoureuse, et j'ai l'impression de devoir lancer des flèches contre lui pour qu'il me comprenne enfin. Pour qu'il comprenne que le destin a opéré, mais que malgré cela, je n'ai pas de ressentiment, que tout est en ordre, qu'il ne me reste qu'à aller au bout de la vie.

10

Je prends le petit-déjeuner avec João et je renverse du lait chaud sur moi. Je soulève mon T-shirt pour en écarter le tissu brûlant et João me demande ce que j'ai au ventre. Un tatouage, lui dis-je. Il me demande pourquoi il a la forme d'une croix chrétienne. Je lui réponds qu'il a été exécuté par un homme qui ne savait pas dessiner. Il me demande alors comment j'ai pu le laisser faire. Je lui dis que je dormais et que je ne pouvais pas contrôler ce qu'il faisait. Il m'avoue qu'il le trouve très moche, pour tout de suite aussitôt s'excuser, conscient des dangers que revêt la sincérité. Je le tranquillise en lui disant que je suis entièrement d'accord avec lui. Je ne peux pas lui dire que j'ai eu un fils, non pas parce que je devrais alors lui donner des détails que je ne connais pas moi-même, mais parce qu'il ne s'agit pas d'un cas de maternité dans le sens conventionnel. Cet événement n'a donné lieu à aucun supplément de vie et je ne saurais l'expliquer à Antonio.

* * *

Suite à ma naissance, ma mère est devenue inapte à enfanter et elle est devenue d'autant plus aigrie qu'elle vivait à une époque où l'on mesurait la dignité de la femme au nombre d'enfants qu'elle avait. Elle n'a jamais dit que c'était de ma faute. Elle n'avait pas besoin de le faire.

J'ai toujours su que nous étions la même personne depuis notre naissance. Que nous avons été la même personne pendant toute notre vie, et que nous serons la même personne jusqu'à notre mort. Je pense aujourd'hui à ma mort, à la mort qui viendra. Je m'imagine que je mourrai dans mon sommeil, sans que personne ne s'en aperçoive. Je m'imagine que je mourrai renversée par une voiture. Que je mourrai d'un cancer, d'un infarctus, de vieillesse. Je m'imagine que je me tuerai. Que je mourrai en fuyant la sécheresse qui sévit à São Paulo, la ville où ont jadis migré tant de gens qui fuyait la sécheresse du Nordeste. Je m'imagine que je mourrai noyée dans les dernières eaux qui resteront. Loin d'ici.

Betina le saura quelques jours plus tard, alors que l'été sera là et qu'elle sera partie avec João pour Siriu, loin de tout, dans l'État de Santa Catarina. Comme elle n'espère plus que le Sertão devienne une mer, elle gagnera le dernier paradis sur Terre. Elle appellera Antonio après avoir constaté que je ne réponds plus au téléphone depuis des jours. Il m'appellera pour que João puisse me parler. Antonio dira que je ne lui ai pas parlé depuis longtemps. Mon absence deviendra alors un problème policier et judiciaire. Avant cela, elle ne l'était pas. Betina sollicitera l'appariteur de l'immeuble, avec lequel je n'ai jamais discuté pendant tout le temps où j'étais sa voisine dans l'aile D de l'édifice Copan, et après avoir défoncé la porte, vous informerez la police de ma disparition. Les policiers vous recommanderont d'aller voir à la morgue afin de leur épargner des démarches administratives. Betina n'y trouvera pas mon corps. Elle retournera à la police pour déposer une plainte relative à ma disparition, et elle ne saura pas comment l'annoncer à João.

Je disparaîtrai pour toujours. Je ne serai nulle part, encore une fois. Je disparaîtrai comme Adriana, comme Alice. Je mourrai comme elles, dans les dernières eaux restantes. Dans les eaux profondes, comme Rosa Luxembourg. Ma route s'achèvera sur le pont qui enjambe la baie de Rio, après avoir pris un bus pour cette ville par un jour nuageux dont la couleur s'accorde avec le paysage. Tristes sont les décès qui surviennent un jour de grand soleil.

S'il y avait eu de l'eau à São Paulo, j'aurais choisi d'y mourir. Personne ne saurait que j'aurais fait ce choix. Je ne laisserais pas de lettre. J'aurais laissé un ou plusieurs livres, si seulement je savais écrire. À Rio de Janeiro, la mer ouverte sur le large m'inspirera nombre de pensées. Peut-être que les autres penseront que je me suis révoltée contre la vieillesse. En attendant, j'aime cette petite douleur qui me traverse le corps et me rappelle que j'existe. Betina dira que je suis morbide. Je lui dirai, imitant Sénèque, que la mort est là où je ne suis pas.

* * *

João me demande pourquoi j'ai si peu de livres dans mes étagères, pourquoi ma maison est si dépouillée, pourquoi je n'ai que de la nourriture pour enfants dans mon frigidaire. Je me tais puis je lui rétorque, sur le ton de la plaisanterie, qu'il pose trop de questions, qu'il a les réponses devant lui. Il me montre ses paumes et dans un mouvement précipité, tâte les murs. Il déclare alors *Lúcia, tu te trompes.*

Je déambule avec lui dans la rue, en direction de la librairie, une immense bouquinerie, qui revend les livres d'autres librairies en faillite et ceux délaissés par les habitants qui ont déjà quitté la ville. Les livres physiques sont bien moins couteux que les numériques, qui sont devenus un signe extérieur de richesse. La bouquiniste « La Fin du Monde » est située à côté de la cathédrale, une des rares édifices catholiques qui n'a pas été vendue par les curés aux néo-pentecôtistes, qui représentent depuis longtemps la nouvelle vague religieuse. Nous décidons d'aller à la Fin du Monde, où João choisira son cadeau d'anniversaire. Le 10 août, il aura douze ans. Nous sommes dans la rue, lorsque je m'aperçois que j'ai oublié mon portefeuille avec mon argent. Nous sommes encore près de chez nous et je propose de faire demi-tour. Il préfère entrer dans la Bibliothèque Mario de Andrade, il y a un guichet, dit-il, où les gens prennent ou rendent des livres, même quand le bâtiment est fermé. C'est à cause de la pénurie d'eau, dis-je. J'ajoute que la majeure partie des musées est également fermée pour cette même raison. *Pénurie d'amour*, répond-il. Je le prends dans mes bras.

C'est mieux qu'une librairie, tu vas voir, déclare-t-il comme pour me consoler. Je ne suis pas d'accord, mais nous continuons à marcher dans la rue, l'atmosphère est alourdie par un nuage de pollution qui arrive jusqu'au sol, et je n'ose pas lui dire ce que je pense pour ne pas gâcher ce bref moment de joie. João parle des livres que nous pourrions emprunter, et je m'amuse en écoutant ses idées, malgré la fatigue qui m'envahit et le bitume qui se liquéfie un peu plus à chaque pas que je fais. Je suis étourdie par le ballet des voitures qui circulent dans cette brume empoisonnée. João se plaint de la chaleur. Je doute de mes propres perceptions, les immeubles fondent, mon corps tremble. Le bruit transperce mon corps, mes oreilles, paralyse ma respiration, João me parle, je ne l'entend pas. Il secoue mon bras, m'appelle

Lúcia, Lúcia

Tout est blanc. Je suis dans le coffre d'une voiture, le canon glacé et rugueux d'un revolver contre mon front. Je me retrouve dans une pièce froide, des décharges électriques me secouent les pieds, qui sont ligotés par des fils de cuivre, dont il se dégage une odeur de poils brûlés. Je suis à genoux sur le sol en ciment, un coup de poing dans les côtes me fait tomber le front en avant et je ne me relèverai plus. Je suis assise sur une chaise en acier, on me donne une gifle derrière la tête, une autre au visage et je n'arrive pas à pleurer. Ou alors je suis dans un cachot, sensation de froid et nausée. Ou encore je suis suspendue à un manche en bois par les mains et pieds, et j'éprouve une douleur paradoxale qui à la fois me brise en mille morceaux et m'anesthésie. L'espace est le lieu de l'innommable, qui doit être habité éternellement, et la douleur est le signe qu'une partie de mon corps continue de vivre.

Je me réveille par terre. Effrayé, João me serre les jambes pour faire refluer le sang vers la tête. Une jeune femme, avec un sac à dos et un piercing au nez, me tient par la main et me demande si je vais bien. Une vendeuse ambulante me tend une bouteille d'eau, je lui dis que je n'ai pas d'argent sur moi et elle me répond qu'elle m'en fait cadeau. Je me méfie. La générosité est une anomalie dans les rues de la grande ville.

João et moi retournons à la maison en silence. Lorsque nous arrivons, il mange une part de gâteau au chocolat et va dans sa chambre, où il lit *Sécheresse* jusqu'au moment où il s'endort.

Ce soir-là, il oublie de jouer aux jeux vidéo.

* * *

Je ne suis pas prête, et pourtant il me paraît urgent de dire à Betina qui je suis vraiment. J'ai peur qu'elle le découvre toute seule et qu'elle ne me parle plus jamais. Qu'elle m'interdise de voir João, lorsqu'elle n'aura pas besoin que je m'occupe de lui.

Je lui dirai tout lorsqu'elle reviendra. Même si la parole semblait être un devoir, le silence était devenu la possibilité à présent, même si ce n'était pas exactement le présent que nous vivions, mais bien plutôt une espèce de trou, de vide à l'intérieur du temps. Exactement cela : un vide de la taille de ma vie.

Je révèlerai à Betina ce que je n'avais pas réussi à dire jusqu'alors, parce que le silence était devenu dévorant, et je l'affirmerai avec force car c'est l'unique certitude que je n'ai jamais acquise au cours ma vie. Elle me regardera en essayant de comprendre ne serait-ce que le sens des mots, tout en sachant qu'elle devra faire un petit effort supplémentaire. Je dirai à Betina que je lui ai parlé à travers mon silence, et je choisirai soigneusement mes mots par peur de ce qu'ils signifient.

En attendant, je discute avec Antonio, comme si je testais sur lui ce qu'un jour je dirai à Betina. Après un laps de temps où il n'a pas fait très attention à ce que je lui disais, il me demande de quoi je parle. Je ne réponds pas. Il insiste. Je change de sujet. Je lui dis que j'ai lu un livre extraordinaire qui raconte des choses tristes. Antonio me regarde comme si j'étais sur le point de m'immoler par le feu. Je feins de n'être pas là. Il m'appelle. Je m'en vais loin.

* * *

Je ne dirai jamais plus *Adriana*, sauf devant Betina. Je lui expliquerai qu'il y a des choses qui sont condamnées à rester dans le passé, lieu où sont relégués les ombres. Je lui expliquerai qu'Adriana est une ombre qui hante mon appartement, qui me réveille la nuit, qui en dépit de toutes mes tentatives pour effacer ses traces, laisse des traces sur les murs, dessinant une image plus indélébile encore, une image indescriptible à qui j'explique ma vie sans pourtant la révéler, l'image de cet étang rempli de merde dont je rêve presque toutes les nuits depuis mon retour à São Paulo.

Celui-ci m'apparaît comme une mer infranchissable que je dois traverser, un réservoir qui contient toute la matière informe qui déborde la vie. Une vie qui a perdu sa dimension tragique et qui est devenue une montagne d'abjection et de néant.

Certaines choses, bien que reléguées dans le passé, bien que disparues et donc mortes, reviennent plus vivantes que jamais. En effet, les choses qui charrient le passé ne sont pas exactement mortes, et si elles resurgissent dans le présent, c'est qu'elles ne devaient pas être délaissées derrière nous. Or, les gens comme moi, qui sont embarqués dans une fuite impossible, sont mus par ces choses qui refusent de se laisser abandonner.

Adriana était ce nom impossible à prononcer pendant ces journées de plomb. Un nom qui interdit toute poésie. Un nom qui rend la vie impossible. Pourtant, tout ce que je peux dire à présent, c'est *Adriana*, et en prononçant ce nom, je ne sais pas bien ce que je dis, mais je sais que je dois le dire. C'est pourquoi je demande João de m'accompagner à la fenêtre pour que je lui apprenne à crier très fort *Adriana*, parce que ce cri représente la mémoire qui nous fait défaut. João me demande qui est Adriana et je lui dis que c'est moi. Je lui dis qu'Adriana est mon vrai nom.

Et nous crions très fort, si fort que nous éclatons de rire et finissons par nous rouler sur le tapis. João se contorsionne de rire et je lui chatouille le ventre comme un bébé. Il rit et pendant quelques secondes, nous oublions qu'il existe un temps antérieur à notre temps infini et João m'appelle par mon vrai nom, *Alice*. Je me réveille alors comme si j'avais dormi pendant des décennies et je pense à Betina, je me dis qu'il faut que je l'appelle pour lui dire de revenir à la maison. Mais j'ai peur du destin et j'y renonce aussitôt.

* * *

Je dirai à Betina que la mort est le pouvoir des pouvoirs, qu'elle surplombe le temps parce qu'elle est omniprésente, qu'elle nous tire vers l'avant comme l'ange de l'Histoire, comme un rétroviseur inversé, même s'il n'y a pas d'autre chemin que celui, ténébreux, qui est derrière nous, lorsqu'elle survient, ce chemin auquel nous sommes tous condamnés.

Je lui dirai des choses de ce genre, et je lui dirai aussi que je suis sa tante, et ensuite que je suis sa mère. Il n'éprouvera aucun sentiment pour moi. Je serai la victime de mes propres inventions. Je lui dirai la vérité et cela me libèrera du poids du temps.

11

Manoel, tu es mort. Les cernes sombres sous tes yeux ne sont pas un signe de vie. Tu es mort. Ces ombres anciennes qui ne reflètent qu'elles-mêmes et qui flottent autour de toi dessinent les contours du néant.

Manoel, tu es mort. Je le lui répète, alors qu'il est aux prises avec une maladie mortelle et indolore. Je l'installe dans une chambre, qui dispose d'une vue sur la ville, et je lui demande s'il a envie de se lever pour regarder une dernière fois par la fenêtre. Je me demande si je fais preuve de méchanceté en lui révélant le mal qui hâte la fin de sa vie, aussi mal vécue que la mienne. Sur un ton moins âpre, je lui fais observer qu'il allait bien hier, au point d'être sorti pour aller acheter ce poison appelé cigarettes. Par conséquent, ce n'est pas normal qu'il se sente si mal aujourd'hui. Je sais que je dois lui dire la vérité, mieux vaut tard que jamais, et pour une raison quelconque, il m'est égal de savoir s'il en souffrira davantage ou non. Je pense que la vérité lui fera du bien.

Manoel, poursuis-je, tu es mort depuis l'après-midi où nous nous sommes rencontrés devant la statue de Fernando Pessoa, et que nous ne nous sommes rien dit, ne serait-ce qu'un banal « salut » même timide, hésitant. Tu dois te souvenir que nous ne nous sommes pas regardés dans les yeux. Nous nous sommes adressés à l'ombre intérieure l'un de l'autre, à l'abîme qui retient le regard lorsque, se tenant face à quelqu'un, on s'aperçoit qu'on n'a rien à lui dire. Prenant ma main, tu m'as demandé pardon et m'as imploré de rester avec toi. J'ai considéré tes paroles comme une injonction à laquelle je ne pouvais pas me dérober, et l'ayant acceptée, je suis allée jusqu'au bout. Je suis restée figée dans ma curiosité, sans comprendre pourquoi tu m'avais demandé pardon.

La partie aveugle de nos âmes est restée cachée derrière un globe blanc ; et alors, comme deux regards qui se croisent dans une salle de réunion ou dans un enterrement, où rien n'a de sens, où les gens – quoique présents – ne sont pas là, nous sommes restés tous les deux suspendus dans nos corps, immobiles au milieu des gens qui ne faisaient que passer. Nous ne savions pas quoi faire du trop-plein de secrets qui auraient dû exploser à cet instant pour finir par être enterrés là même, sous les pierres du chemin qui menait à une place mouvementée. Le blanc de nos yeux était comme une pensée qui s'échappe, comme une veine ouverte, un pur cartilage couleur de plastique, triste matière, je le savais, je l'ai toujours su, tout comme Miguel aussi le savait. Le blanc qui entoure l'iris dont la couleur ne change pas, et la pupille invariablement noire, toujours située au milieu de l'œil, fournissant un axe au corps humain, forment un complexe fragile dont les parties entrent facilement en conflit l'une avec l'autre. Tel était

Miguel : un point noir au centre duquel je me sentais d'une certaine manière en sécurité, je veux dire que c'était un endroit où je pouvais rester parce qu'il ne semblait pas y avoir d'autre vie possible ailleurs pour une personne comme moi.

* * *

Manoel était déjà mort, le jour où il s'est jeté de la fenêtre de l'appartement. Il m'avait demandé de descendre pour aller chercher des cigarettes, ayant terminé les siennes pendant la nuit. Je luttais pour limiter son nombre de cigarettes, tâche qui m'occasionnait du stress. Je lui ai demandé pourquoi il n'y était pas allé lui-même, vu que la veille il était descendu tout seul et plein d'entrain jusqu'au coin de la rue et n'était revenu que plusieurs heures plus tard comme si de rien n'était. Ce jour-là, assis sur son siège au milieu du salon, il m'a demandé d'entrer en contact avec Luiz dès que tout serait terminé pour lui. Je ne lui ai pas demandé pourquoi je devrais faire cela et je ne l'ai pas fait non plus. Je ne voulais rien savoir d'autre sur Manoel que ce que lui-même m'avait dit, je me doutais que cette rencontre avec Luiz se serait traduite par une sorte de règlement de compte, même si je ne comprenais pas ce qu'il avait à voir avec Manoel.

Luiz était un curé et je n'avais aucune raison de parler à un curé. Manoel était athée, et mort, qui plus est : il était comme deux fois athée. Je n'avais donc pas besoin d'un curé pour prier pour lui, ni de son vivant, ni après sa mort. La nostalgie qu'il affichait dans les dernières années de sa vie me dérangeait presque, et je me figurais que Luiz n'y était pas étranger. Cette nostalgie rendait le passé plus pesant, augmentait notre fragilité que nous avions convenu de mettre à l'écart.

Lorsqu'il est mort, je me suis demandée s'il n'aurait pas mieux valu que Manoel ait été croyant. S'il n'aurait pas mieux valu qu'il ait cru en une vie après celle-ci. Une rencontre avec Luiz ou toute personne de ce monde me paraissait effrayante, et j'ai pensé au droit que Manoel s'était arrogé de ne plus exister et je me suis sentie frustrée de ne pas bénéficier de ce même droit.

Même si j'avais la certitude que Manoel ne pouvait pas continuer à vivre dans de telles conditions, je ne pensais pas qu'il allait durer aussi peu longtemps. J'ai éprouvé un peu de jalousie, mais lorsque j'ai approfondi ce sentiment, j'ai réalisé combien j'étais soulagée. Un soulagement que je n'ai expérimenté que dans les années où j'ai vécu seule à Lisbonne.

* * *

Je n'ai plus personne à qui raconter mon rêve de l'étang et son pénible déroulement. Dans ce rêve, Manoel transporte à grand peine des seaux de merde, qui le font trébucher. Un peu de ce liquide immonde tombe en chemin le long des corridors qui longent les installations du barrage. Manoel manipule une machine qui fait s'écouler la merde dans le bassin, sans qu'on puisse en voir le mécanisme. D'en haut, il est possible de voir l'étang se remplir. C'est mathématique. Dans ce rêve, Manoel reste silencieux, alors qu'Antonio, qui essaie vainement de le vider, n'arrête pas de parler. Je ne comprends pas ce qu'il dit, car il parle tout bas, je sais seulement qu'il vitupère contre ses vêtements maculés d'excréments.

C'est un rêve que je fais à l'époque où je vis avec Manoel. Antonio y apparaît au moment où je fais sa connaissance. Il n'y a pas d'autres personnages. Je pense à Archonte, à la rivière infernale qui coule en dessous de São Paulo, la ville reliée au réservoir mort dont nous buvons l'eau sans nous poser de question.

J'achète des dizaines de jerricans d'eau pour les stocker chez moi. Le vendeur me dit que son prix a doublé, mais que je peux lui faire confiance, c'est le prix du marché, il ne s'adonne pas encore à un trafic d'eau.

* * *

Antonio arrive à sa chambre d'hôtel, toujours aussi impatient. L'esprit plein d'idées préconçues et le corps endurci. Il ne parle presque pas, il croit que cela le rend plus attirant. Je l'apprécie parce qu'il ne cache pas ses intentions. Autrefois, seules les femmes essayaient de plaire, se transformait en marchandise pour mieux se vendre en fonction des intérêts d'autrui. Antonio sait qu'il n'y a que les objets qui plaisent, jamais les personnes. Et c'est en tant qu'objet qu'il se présente à moi.

Après une relation sexuelle rapide et efficace, j'allume une cigarette. Il me demande de lire son manuscrit et de lui donner mon opinion dessus. Je lui demande le titre et je me rends compte que je le lui ai peut-être déjà demandé. *Le temps en vain*, me répond Antonio, tout en concédant qu'il peut le changer, avant même que je lui dise combien je le trouve mauvais. Je le surprends en lui suggérant de garder ce titre. Il ne perçoit pas mon ironie. Je lui demande de quoi le livre parle. Il me dit qu'il vaut mieux que je le lise une fois et que je lui fasse part de mes commentaires. Qu'il s'agit d'un travail de plusieurs années et qu'on ne peut pas en parler sans l'avoir lu attentivement et d'un œil critique.

Je tombe d'accord avec ce qu'il dit et je cherche à retrouver la patience que j'ai dû perdre en chemin et laisser dans la rue, avant d'entrer dans cette chambre d'hôtel dont la saleté fait de toute relation sexuelle un acte au-delà du réel. Passant du coq à l'âne, Antonio déclare qu'il faut changer de ville pour changer de vie. Il parle tout seul. Il affirme qu'il réussira sa vie à São Paulo, après quoi il va au magasin d'appareils de gymnastique où il a trouvé un job, engins qu'il juge incompatible avec sa condition d'écrivain, et qu'il a accepté seulement pour pouvoir mettre du beurre dans les épinards. Pendant qu'il s'habille, je lui demande pourquoi il ne vend pas des machines à écrire, ce serait plus en adéquation avec son statut d'écrivain.

Cette fois, il perçoit mon ironie, peut-être à cause de mon ton de voix, peut-être à cause du regard dur que je lui jette. Mon impatience devient palpable. Il s'énerve contre moi. Il me fatigue. Parfois Antonio veut être cinéaste, parfois il veut être entrepreneur, parfois animateur de radio, parfois il veut ouvrir un pet shop, parfois il remet sur le tapis son pathétique projet de livre. Ma patience atteint ses limites. La sienne aussi, il me semble. Il change de ton. En réponse à tout ce qu'il me dit, je suggère invariablement, sur le même ton rationnel, qu'il doit continuer, je vais même jusqu'à lui dire que ses idées sont incroyables. Ce n'est pas que je manque de temps, mais ses idées ne m'intéressent pas. Ce n'est toutefois pas pour autant que je veux qu'il y renonce.

Il appelle pudiquement aide la rétribution que je lui accorde à chaque fois qu'on se voit. Je lui demande s'il a décidé d'abandonner le secteur du sexe, vu qu'il s'est lassé de sa cliente. Antonio se plaint de mon ironie. Je suis étonnée qu'il l'ait perçue. Feignant de louer ses compétences, je lui dis qu'il a du talent pour ce travail et qu'il devrait s'y consacrer exclusivement. Il se vexe, se tait, balance la tête en regardant par terre. Je ris. Je pense qu'il va me tuer à force de retenir sa colère. Lorsque j'ai terminé de rire, nous nous asseyons tous les deux au pied du lit. Il me prend dans ses bras en silence. À cet instant, j'ai pitié de lui, et j'insiste pour qu'il m'accompagne dans un restaurant chinois, l'un des rares que la classe moyenne urbaine en voie d'extinction peut encore s'offrir.

* * *

Le premier jour où nous nous sommes rencontrés, Antonio m'a demandé pourquoi je ne le prenais pas dans mes bras. Depuis lors, à chaque fois qu'il me le redemande, je lui répète que je viens du froid. Que le froid est à l'intérieur de nous.

Betina ne prend pas non plus les gens dans ses bras. Je raconte à João que nous n'avions pas cette habitude à la maison et je lui dis que, en dépit du fait que nous soyons de la même famille, nous pouvons nous enlacer, pendant que nous contemplons la ville du haut de la fenêtre. Il me demande qui je suis par rapport à lui dans la famille, et je lui dis que je ne le sais pas encore, que j'ai une envie folle de le savoir. Nous mettons alors une chanson à un haut volume, et nous nous prenons très fort l'un dans les bras l'autre, et nous rions jusqu'au coucher du soleil.

* * *

Antonio me conseille de ne pas m'attacher à João. Je regrette de lui avoir parlé de l'enfant. Comme les hommes d'antan, Antonio est un moraliste qui n'a pas confiance en lui et qui souffre de jalousie. C'est peut-être pour cela qu'il me demande si je ne veux pas vivre avec lui dans une maison où nous habiterions seulement tous les deux. Peut-être parce qu'il s'aperçoit de l'ineptie qu'il vient de proférer, il me jette sur le lit comme si ce geste pouvait masquer ce qui l'intéresse vraiment, et mettre un point final à notre discussion.

Antonio veut me convaincre que notre relation n'est pas professionnelle. Dans ces moments, je ne le comprends pas ou je préfère feindre que je ne le comprends pas pour pouvoir continuer un peu avec lui. Je bavarde comme s'il était un simple collègue de travail que je croiserais au détour d'un couloir de l'entreprise où nous travaillerions, à la pause-café. Il veut parler d'amour. Antonio est un homme à l'ancienne, il croit encore aux relations amoureuses ou feint d'y croire pour mieux convaincre la cible qu'il s'est choisie. Peut-être qu'il n'est qu'un petit malin, du genre à s'inventer une histoire d'amour idéal avec une femme capable de résoudre tous ses problèmes d'un coup de baguette magique. Une femme qu'il aimerait plus que sa propre mère. Une femme qui donnerait tout ce qu'elle a et même un peu plus, pour partager avec une relation amoureuse, inévitablement illusoire. Elle paierait beaucoup plus que ce que l'on paie objectivement pour une relation sexuelle, elle paierait avec son temps, avec son travail (chaque jour plus mal rémunéré), avec sa liberté, et en échange, elle obtiendrait la seule chose qu'un homme peut encore donner à une femme sexuellement intéressée par lui.

Aujourd'hui je suis intimement convaincue que cette forme de sexualité est une perversion. L'hétérosexualité qui a été naturalisée et banalisée est sans conteste une perversion, surtout aujourd'hui où d'autres possibilités sexuelles se généralisent. Je me fais du souci pour Antonio, qui sera privé de toute protection, lorsqu'il sera devenu un vieillard dépourvu de tout attrait. Je pense qu'il devra alors avoir une meilleure conception de la sexualité et du monde. Mais aussitôt je me rassure, car je me dis qu'il recourra aux drogues qui permettent aux hommes d'avoir une vie sexuelle au-dessus de leurs moyens physiques. Je pense alors aux dispositions émotionnelles nécessaires à cela, mais Antonio est suffisamment froid pour vivre une relation artificielle comme celle que nous entretenons jusqu'à maintenant.

Du point de vue de la lutte pour la survie, la sexualité occupe le second plan. À ce titre, Antonio est un plaisir qui me coûte un peu cher, mais que je peux encore m'offrir. Je paie avec l'argent que Manoel m'a laissé. Je dis cela à Antonio, à savoir qu'il me coûte un peu cher. Je lui confie que je reçois une pension depuis la mort de Manoel et qu'auparavant, lorsque je vivais avec lui, j'étais rétribuée comme épouse, domestique et maîtresse. Je lance à Antonio que les femmes ont toujours payé les hommes et qu'ils les ont toujours volées. Ils nous ont fait croire qu'ils nous payaient à seule fin de nous chosifier. Antonio me traite de féministe. Je ris. Je ne sais pas employer ce mot. Il n'est pas de mon temps. Je dénonce simplement l'hypocrisie ambiante, et si tu appelles cela être féministe, fort bien, cela ne me dérange pas. C'est la première fois que j'ai une relation honnête avec quelqu'un, alors ne la gâche pas, je lui demande cela sur un ton didactique que j'atténue cette fois par un léger rire, en attendant le moment où Antonio relèvera l'offense.

Antonio préférerait que je ne le paie pas en argent, que je verse celui-ci à un pot commun, qui grossirait peu à peu au cours de notre vie à deux. Seulement, dans cette situation en porte-à-faux, je serais la seule à contribuer, à allonger le fric, fruit de mon travail non rémunéré d'épouse (car il n'aurait pas les moyens de me payer), et alors j'accomplirais gratuitement ma besogne sexuelle... Actuellement, c'est moi qui le paie, mais cela pourrait très bien être le contraire. Dans l'hypothèse où nous nous mettrions en ménage, je perdrais tout ce que j'aurais misé. Ce serait une relation dont seulement l'un des deux serait bénéficiaire.

En comptant les billets que je pose sur la table, je goûte le plaisir de le voir s'insurger contre mon geste. Ses protestations ne me convainquent pas, mais mon plaisir vaut davantage que n'importe quelle preuve.

12

Dans la cafétéria où je travaille depuis presque deux ans, lorsque je n'utilise pas mon temps libre pour laver les sols dans plusieurs immeubles du centre-ville, je rencontre une Brésilienne qui me commande un coca-cola et qui, après m'avoir regardé attentivement, me demande qui je suis. Je lui réponds que je suis Lucia, elle me demande si je connais Adriana. Je lui dis que non. Elle insiste. Je lui dis que oui. Elle boit son coca-cola et me donne un numéro de téléphone. *Demande à parler à Paulo*, me précise-t-elle. J'appelle. Paulo s'avère être Manoel. Sans plus d'explication, il me demande de venir avec lui aux États-Unis. Je ne comprends pas pourquoi j'accepte. Je suis peut-être fatiguée de laver les sols, les assiettes, la cuvette des toilettes des autres, et de vivre comme si je ne pouvais discuter avec personne. Nous nous retrouvons dans le Chiado à une heure où l'animation typique de ce quartier bohème a pris fin. Il me sert la main devant la statue de Fernando Pessoa, puis il m'enlace, ensuite il me demande pardon.

Je pars aux États-Unis avec lui après ces deux ans passés à Lisbonne, une ville qu'au fond je ne connais pas. Je vais de chez moi à mon travail, de mon travail à chez moi, et là je m'enferme à clé dans ma chambre et je me couche très tôt. Je confie à Manoel que j'ai peur. Que j'ai tout le temps peur. Il me dit qu'il n'y a pas lieu de craindre quoi que ce soit. Que nous sommes protégés. Que je vais pouvoir faire ce que jusqu'à présent je n'ai pas pu faire. Je le crois parce qu'il est à mes côtés et que ses promesses valent mieux que ce que je peux espérer de moi-même.

Nous passons des jours sans nous parler. Nous nous regardons dans l'espoir d'échanger quelques certitudes sans avoir besoin de parler beaucoup. Je pense qu'il est comme moi un survivant, et que, pour cette raison, nous sommes sur un pied d'égalité. Je découvre en lui le même vide qui existe en moi. Nous ne nous sourions pas, nous ne faisons aucun commentaire, ni lui, ni moi. Je lui demande comment nous sommes arrivés ici, à Boston. Manoel me dit qu'il décrochera une bourse d'étude. Pendant qu'il va à la faculté, je reste à la maison, je fais le ménage, essaie de cuisiner, je passe mes journées à lire ou à déambuler dans la rue sans but ni réelle curiosité. À chaque fois que j'essaie d'aborder un sujet sérieux, le passé, Adriana, León, il me dit qu'il doit étudier, qu'il ne peut pas se laisser déconcentrer, que je vais le rendre fou si je continue à lui poser des questions. Qu'il ne sait pas quoi me répondre.

Manoel est à cet inconnu avec qui j'ai vécu quatre années de torture aux Etats-Unis, lui toujours en voyage, et moi assise devant la télé, un livre, ou visitant les musées, errant dans la rue. Je déambule dans les rues de New-York, après notre déménagement, pendant qu'il passe la semaine à l'université. Ma misanthropie atteint un degré inquiétant, même pour lui. Je ne comprends pas pourquoi il m'a demandé de l'accompagner. Et je comprends encore moins pourquoi je ne plaque pas tout. Il est évident que je ne veux pas de cette vie, que je ne veux pas de Manoel. Plusieurs années plus tard, alors que nous étions en Espagne, je me suis subrepticement transformée en esclave au foyer. Aujourd'hui je m'aperçois que je tenais le rôle fondamental, dans la vie de Manoel, de béquille, d'exutoire. Notre vie à deux était alors des plus monotones : laver le linge de Manoel, faire le ménage, acheter à manger puis, inévitablement, à boire, et en grande quantité. Les tâches ménagères rongent mon cerveau comme l'alcool ronge le foie de Manoel.

À la maison, je fais un café qu'il prend avant de s'imbiber d'alcool, comme il le fait tous les jours dès avant midi. Je lis le journal et je lui apprends que la démocratie est de retour au Brésil. Ce sont les années 80, j'ai un peu plus de trente ans, je suis plus jeune que Betina ne l'est aujourd'hui et je n'ai pas de futur. Je lui dis que le mot démocratie semble avoir quitté les vêtements gris qu'elle portait. Il y a comme une promesse qui flotte dans l'air au Brésil. Je me souviens avoir utilisé cette expression. Manoel me regarde comme si j'avais commis un crime.

Il me dévisage comme si j'avais détruit quelque chose de précieux. Dépité, il jette le contenu de la tasse sur la table en formica que j'avais recouvert d'une nappe, où j'avais posé un verre d'eau avec, dedans, des fleurs que j'avais cueillies le matin dans la rue, pendant ma promenade, geste qui résonnait à mes yeux comme un désir de surmonter la tristesse dans laquelle nous nous étions enfoncés au fil des années. Il finit par dire, avec une violence qu'il n'arrive plus à cacher, que je suis la plus stupide des créatures humaines, que je n'ai pas à me mêler de ces sujets, que je me trompe complètement, que je me suis toujours trompée et que je suis responsable de tout ce qui se passe.

Manoel me demande de me contrôler, alors qu'il a perdu toute maîtrise de lui-même. Bref... il sort de ses gonds, mais il ne crie pas. Manoel ne crie jamais. Son ton de voix est resté immuable pendant des années jusqu'à ce que le cancer ronge sa trachée, son pharynx, ses poumons pour finalement atteindre son cerveau. Le même cancer, lent et douloureux, mine le gouverneur. Les chaînes de télévision, en tant que corporations médiatiques compromises jusqu'à la moelle avec les idéologies, essaient de cacher son état, lorsqu'il fait son apparition au loin, grisâtre et muet, imbibé de whisky. Outre le fait d'avoir tous les deux le cancer, ils ont également une voix extrêmement faible.

Manoel est capable d'une espèce de haine que je n'ai ressentie que chez les personnes mélancoliques. Et en plus, cette haine est tournée vers les gens mélancoliques.

Il éprouve également cette haine que certains hommes ont envers les femmes simplement parce qu'elles sont des femmes et que, selon leur conception du monde, elles méritent d'être haïes. Je suis là en tant que femme, dans la pure nudité féminine que les femmes portent même lorsqu'elles sont habillées. Parce qu'il m'identifie comme mélancolique, il me hait. D'une haine à l'état pur. Il me hait et, pour cela même, Il veut que je sois proche. Il me hait parce qu'il m'emploie dans une place où l'on peut être inutile à volonté. La haine est l'affect propre aux tortionnaires, qui se sentent autorisés à haïr quiconque, surtout les mélancoliques, et à haïr les femmes comme on hait un être supposément abject. Ainsi, les tortionnaires se sentent autorisés à haïr doublement les femmes mélancoliques. Lorsqu'ils les torturent, ils torturent doublement parce que la haine envers la femme est toujours plus grande que la haine en général. Et la haine envers une femme mélancolique est la plus destructive de toutes.

La haine des tortionnaires – la même que Manoel éprouve, bien qu'il n'en soit pas un – c'est la haine envers les êtres considérés comme faibles tels que les femmes. Une haine qui ne se montre pas pour ce qu'elle est, à savoir une idéologie. Une haine qui paraît naturelle. Je sais que j'ai survécu parce que, pour une raison quelconque, j'ai suscité moins de haine que d'autres. Et si j'en ai moins suscité, c'est parce que j'ai moins réagi. Je n'ai pas trop affiché ma mélancolie. Il m'a fallu être réaliste pour survivre. Si j'avais exigé un quelconque droit, je serais morte. Je n'ai rien exigé, je n'ai pas réagi, je n'ai rien revendiqué, je ne dis rien à Manoel, comme jadis je n'ai rien dit à mes tortionnaires, parce que je ne voulais rien savoir et que je ne savais rien. Si j'avais su quelque chose, je serais morte. Je me dis aujourd'hui que si j'avais été quelqu'un, j'aurais suscité davantage de haine. Cela faisait longtemps que je n'étais plus personne.

Ce jour-là, sortant du silence où il est resté retranché pendant des mois, Manoel me regarde comme je n'ai jamais vu personne me regarder. Transformé en miroir qui parle, matérialisant sous une forme asséchée la tristesse qui le conserve vivant et en même temps le tue, il me parle comme si je n'existais pas. Comme si j'étais une erreur de l'Histoire et de la nature, un morceau de néant posé ici à la place de ce qui existe. Je n'ai jamais osé lui demander pourquoi. Je sais qu'il parlait avec lui-même.

Je sais que j'ai choisi des fleurs pour décorer le camp de concentration auquel je donnerais le nom de foyer si j'étais capable d'en parler. À une époque où la poésie n'est plus possible, je me tais pour pouvoir aller de l'avant. Je me retranche donc dans le silence. J'attends qu'il s'arrête de parler. Je me dis qu'il vaudrait mieux qu'il meurt tout de suite, je l'imagine passer de vie à trépas devant moi, et je me vois demander de l'aide pour transporter son cadavre. Je ne me souviens pas lui avoir reparlé sinon pour lui dire bonjour ou bonsoir et pour lui demander s'il avait besoin de quelque chose. Il me demande sans arrêt des cigarettes et de l'alcool. Et de la nourriture aussi. De la soupe, un peu de café au lait. J'attends que le temps passe, me vidant l'esprit dans une attitude de yogi. Je devrais sortir pour rencontrer des gens. Faire la connaissance d'un homme, n'importe lequel, histoire de me divertir. Mais Manoel vivant, ce n'est pas possible. Manoel m'a entièrement intoxiquée, et si je n'ai pas succombé, c'est parce que j'ai tout enduré avec le maximum de pragmatisme, y compris son enterrement.

C'est lui qui a eu l'idée de revenir au Brésil, et de la même manière que je l'ai suivi aux États-Unis, je l'accompagne au Brésil, parce que je n'ai rien d'autre à faire. Je sais qu'il ne va pas tarder à mourir et au fond, j'ai de la peine pour lui, je partage la douleur, la solitude, la tristesse, qui se dégagent de ses yeux tapis sous des paupières toujours plus violettes. En même temps, je le hais. Je sais que le suicide n'est qu'un moyen pour atténuer le poids de cette mort qui tarde tant à venir.

***

Dès que la date du départ est fixée, il se met à boire plus que d'habitude. Il ingurgite bouteille sur bouteille, toutes les boissons alcooliques y passent, rhum, whisky, gin, cognac, téquila : j'aurais pu mesurer les jours, les semaines et les années que nous avons passés ensemble à l'aune des bouteilles qu'il a liquidées. Lorsque j'arrive au Brésil, il finit ses jours en avalant une bouteille entière d'eau de vie de la pire qualité mêlée à de l'alcool pur que j'ai acheté sur le marché informel à vil prix.

Lorsque nous arrivons au Brésil, Manoel reste hospitalisé pendant des mois pour soigner les infections les plus variées, qui selon moi sont l'effet des souffrances du passé. Il ne les évoque jamais, tout comme je ne parle pas de ce qui m'est arrivé. Ou seulement les épisodes les plus banals, ceux que tout le monde connaît. Je ne sais pas comment j'ai réussi à survivre, et je n'ai pas envie d'en parler, je n'ai pas envie de le raconter, je n'ai pas envie de l'expliquer. Je n'ai envie de rien. Je dilapide l'argent que j'ai gagné à Lisbonne, en médicaments et en frais de dentiste (je ne comprends pas comment j'ai pu perdre tant de dents).

J'explique à Betina que Manoel est sexuellement mutilé. C'est une partie de la fiction que je lui raconte pour qu'elle comprenne que j'ai fréquenté des gens qui souffrent, parfois plus que moi. Je ne sais pas pourquoi j'invente de telles choses. Peut-être pour me délivrer d'un sentiment de dégoût et de culpabilité. À chaque fois que j'ai un rapport sexuel avec Manoel, je m'y prête avec un mélange d'obligation et de pitié. Il est presque toujours ivre, de sorte que je peux dire que nous n'avons pas réellement de relation sexuelle. Nous n'avons aucune attraction physique l'un pour l'autre. Le désintérêt est réciproque. Je me rends alors compte que la seule sexualité authentique que je n'ai jamais eue, c'est celle que je pratique actuellement, contre espèce sonnante et trébuchante.

Lors de l'une de nos discussions à bâtons rompus dans les cafétérias de São Paulo, Betina me dit que son grand-père, dont elle ne suspecte pas qu'il est mon père, était un vieux pervers. Il disparaissait de la vue de tous et refaisait son apparition par surprise, éjaculait sur les femmes de ménage et sur tous les objets alentours. Elle se cachait pour éviter de faire les frais de la conduite répugnante de son grand-père. Elle me raconte que sa grand-mère, toute honte bue, le protégeait comme si cela faisait partie de son rôle d'épouse, jusqu'au jour où elle a commencé à le bourrer de calmants, et dès lors il est resté cloué au lit, immobile, pendant des mois. Ensuite sa mort a été un soulagement pour toutes les femmes qui fréquentaient la maison.

J'essaie d'imaginer mon père mort, un homme déjà vieux lorsque j'étais enfant. Sa manière d'être ne différait pas beaucoup de celle de Manoel, taiseux, secret comme un fruit intouchable réduit en compote. Un fruit pourri. Voir Manuel mort me soulage profondément et ne pas avoir vu mon père ainsi m'angoisse.

* * *

Manuel est mort au Brésil. Naguère, lorsque nous habitions en Espagne, plus précisément à Madrid, plus exactement encore à El Pardo, il partait le matin et revenait à la maison le soir. Parfois il ne revenait pas pendant des jours. Je ne lui demandais pas où il était passé. J'aurais préféré ne pas le voir revenir. Mais il revenait. Il ne commentait jamais ses absences, pas plus qu'il ne le faisait à New-York ou à Boston. Nous ne nous parlions pas. Une fois, alors qu'il mangeait un morceau de fromage que j'avais acheté pour le dîner, attablé dans la cuisine, il m'a dit qu'il avait l'intention de reprendre son vrai nom, un nom qu'il ne m'a jamais révélé et qui a disparu avec ses papiers d'identité, un nom qui commençait par V ou W, m'avait-il dit, un jour que la boisson l'avait égayé sans raison apparente, un nom que j'aurais pu deviner si j'avais eu un peu d'astuce.

M'importe-t-il de savoir le nom de Manoel ? La réponse est simple : non. Qui étaient son père et sa mère, où est-il né, avaient-ils des parents vivants ? Je pense que, tout comme moi, il n'avait pas d'histoire. Un homme sans biographie. Manoel ne faisait pas exception à la règle d'airain qui s'applique à quiconque mène une vie clandestine, à savoir n'être personne. Selon moi, nos tortionnaires étaient des idiots au service d'une personne qui voulait s'approprier de notre histoire, la contrôler, et finalement la dissoudre. Il voulait nous détruire en détruisant notre histoire, Manoel le savait, mais il ne s'insurgeait pas parce que sa vraie histoire entrait en résonnance avec cette histoire fausse. Un jour, il m'a confié l'anecdote suivante : sur les habits de son père, qui venait d'être enterré, il y avait une mouche, que personne n'avait réussi à capturer. Manoel ne se confiait jamais, et soucieuse de préserver la logique qui présidait à notre relation, je n'ai pas relevé cette incartade, faisant mine de ne pas avoir entendu. Ce n'est pas que je voulais l'ignorer, mais cette allusion me faisait peur. Pendant tout le temps où Manoel était malade, je me disais que je n'essaierais pas d'enlever la mouche qui se poserait sur sa chemise lorsqu'il serait mort. Que je mettrais une marguerite au revers de son habit. J'ai failli lui demander s'il préférait être incinéré, mais j'ai pensé que le destin des morts appartenait aux vivants, et que le mort, tant qu'il est vivant, doit être dispensé de tels soucis.

Manoel ne me parlait pas de sa terre natale, de sa famille, de l'époque où ses parents étaient morts ou vivaient encore. Son accent de l'intérieur de l'État de São Paulo le trahissait. Il masquait ces intonations de paysan que je reconnaissais également dans la voix des gens avec qui je discutais sur la place. Ces gens qui viennent et s'arrêtent un instant pour se reposer ont également quelque chose de clandestin. Leur accent constitue un indice, c'est la trace de leur origine, un signe identitaire, d'appartenance à un lieu, une marque corporelle et sociale. En entendant les gens parler avec chacun leur accent, je me suis rendue compte que le mien se résumait à un cri.

* * *

Il est 2h42. Cela fait des années que je me réveille à cette heure, et je ne me rendors pas toujours. J'attends que la trame du destin se déploie à travers l'ordre falsifié du monde. L'image de Manoel me vient à l'esprit comme quelque chose d'inévitable. J ce qui reste de Manoel. Rien ne survit aux épreuves, et le fait loin d'être évident d'avoir survécu est en soi-même une contradiction.

* * *

J'ai pensé à fuir loin de Manoel, lorsque je me suis aperçue que je souffrais. Cette pensée ne s'est pas traduite en désir. Manoel devient violent à mesure que la maladie progresse et qu'il perd la maîtrise de lui-même. Je dois parfois l'enfermer à clé dans la chambre, où il n'y a rien à casser. Aucune violence ne peut égaler celle que j'ai expérimentée et les gestes de Manoel ne m'effrayaient nullement. Je me consolais en me disant qu'il suffisait d'attendre sa mort.

Sa mort, le jour où elle survient, me donne du fil à retordre. Incinérer quelqu'un à São Paulo, où tant de gens meurent, est devenu une prouesse. La mort fait l'objet d'un marché noir qui la rend onéreuse. Il faut débourser des sommes rondelettes pour se payer un enterrement illégal. Il y a partout des cimetières clandestins et il vaut mieux incinérer ses morts. Il y a des incinérations pour toutes les bourses. Il y en a pour les riches, pour les pauvres, mais pas pour les misérables dont les cadavres sont jetés au ruisseau. La municipalité, occupée à peindre la ville en gris, ne ramasse pas toujours les cadavres qui jonchent les rues. J'ai payé l'incinération.

Quelques jours après la mort de Manoel, alors que je me demande ce que je vais faire de ses cendres posées sur l'étagère du salon, je déambule dans l'avenue Paulista, où l'on ne se sent seul que si on le veut. J'entre dans le Musée d'Art. J'ai envie de voir des tableaux que je n'ai pas vus depuis longtemps. Ces images m'inspirent une réelle nostalgie. Il y a un portrait de Van Gogh dans ce petit musée de São Paulo. C'est un musée riche, où ne peuvent plus entrer les mineurs, ni les Noirs, ni les transsexuels. Si les femmes n'y sont pas interdites d'entrée, c'est que les hommes ne le visitent presque jamais. Le tableau de Van Gogh est une rareté achetée à vil prix pendant la Seconde Guerre mondiale, quand les nazis s'emparaient des œuvres d'art pour les détruire. L'histoire se répète d'une certaine manière et ce tableau est encore une fois menacée par la bêtise des politiques à travers le monde. Un homme, visiblement ému, pleure devant cette petite image. J'attends mon tour pour la contempler, et c'est alors je m'aperçois que je connais cet homme. Je n'arrive pas à me souvenir de qui il est. Je ne m'avance pas. Mes pieds sont d'ailleurs rivés au sol. Quelque chose en moi se paralyse.

Nous sommes seuls, lui et moi, dans la grande salle gardée par des policiers militaires, qui sont postés dehors. Peu de gens osent entrer dans un musée de nos jours, la majorité a mieux à faire, sans compter tous ceux qui n'ont pas le droit d'y entrer. Tous les musées ont été fermés, mais le gouverneur laisse celui-ci ouvert par vanité : c'est un morceau d'Europe au milieu de la misère brésilienne, qui a pour vertu de masquer la barbarie grandissante. Seuls les désœuvrés, ou plus exactement, les désœuvrées comme moi pénètrent ici. Chaque visiteur est fouillé en vue de prévenir les actes de vandalisme, car il est de règle dans le monde actuel de commettre tout type d'acte barbare sans que leurs auteurs n'en souffrent la moindre conséquence.

Je m'approche de lui sans savoir pourquoi. Je suis tout près et il ne me voit pas. Il continue de pleurer à chaudes larmes. Je regarde ces larmes, qui me semblent absurdes. Est-ce la beauté de l'œuvre qui le fait pleurer ? Quelqu'un ou quelque chose est-il venu bouleverser sa vie ? Dans toute autre circonstance, je me serais éclipsée sans tarder, mais là, je cède à la curiosité. Je reste plantée là, comme si je faisais la queue. L'homme me voit enfin.

Il sèche ses larmes avec son T-shirt bleu à manche longue de super héros, démontrant sa gêne. Il s'habille comme un jeune, bien qu'il soit plus vieux que moi. Il a recouvert ses cheveux d'une teinture châtain-clair, il porte à la taille une ceinture ornée de pierres luisantes et il porte à son bras un tatouage représentant Jésus, que j'aperçois lorsqu'il remonte sa manche trempée de larmes. Ses chaussures usées et crottées sont modernes et ont dû lui coûter fort cher. Il se tourne vers moi et me demande de l'excuser. Moi aussi je lui demande de m'excuser de le déranger, je lui dis que j'aime beaucoup ce tableau. J'évite son regard jusqu'à ce que je m'aperçoive que lui-même me regarde, effaré. Je souhaite qu'il s'en aille tout de suite. Ce regard terrible me met sur le qui-vive, stimulant mon instinct d'autoprotection. Je lui demande si sa tenue n'a pas fait tiquer la police, feignant ainsi de ne pas avoir vu ses larmes et me distrayant de ma propre peur. Il essaie d'encaisser tant bien que mal cette remarque indiscrète, et il me dit qu'en sortant il remettra son manteau pour cacher ce qu'ils ne doivent pas voir.

Je m'aperçois que son regard, qui s'est posé sur moi, se fait toujours plus insistant. Je lui demande si nous nous connaissons, alors qu'en vérité je préférerais partir en courant. Il me regarde fixement et, en dépit de son air triste, il m'adresse un sourire aussi gêné que forcé, et qui camoufle mal le sentiment véritable qui est le sien à cet instant. Il respire profondément et cherchant mon nom, il me dit *vous êtes la sœur d'Adriana. Alice, quelle surprise. Tu n'as pas changé. C'est incroyable comme tu parais jeune.*

Je lui dis que je suis Lúcia. Il m'appelle par mon ancien nom, il ne se souvient peut-être pas de ce que nous avons vécu autrefois. Il cache sa consternation sous un air de perplexité. Je lui dis que je suis beaucoup plus impressionné par le fait qu'il se souvienne de moi. Il sourit, la bouche mi ouverte. Je décide d'être méthodique et je lui demande pour commencer s'il va bien, aucunement par souci de son état, mais par éducation. Puis, je lui demande qui il est. Il me répond, je suis Luiz, *tu ne te souviens pas de moi, Alice, fais un effort, même si maintenant tu t'appelles Lucia.*

Je pense à l'image floue que je conserve de Luiz, avec qui j'ai eu si peu de rencontres. Je repense au souhait de Manoel et je n'ai pas le courage de poursuivre cette conversation. Je lui demande de m'excuser de ne pas pouvoir lui parler pour le moment.

Rencontrer quelqu'un de cette époque, c'est comme retrouver des archives moisies, c'est comme ouvrir une tombe et regarder le visage hippocratique de l'Histoire. Nous nous regardons fixement l'un l'autre. Il me demande pardon, il me dit qu'il a perdu une personne très importante dans sa vie et qu'il n'est pas en état de parler. Il me demande mon téléphone pour que nous puissions nous parler à un autre moment. Je recule, sans comprendre pourquoi je donne suite à sa demande et je lui donne mon numéro. Je lui dis que j'ai le sien, que Manoel me l'a donné. J'aurais pu lui dire que je n'ai pas de téléphone. Il me demande des nouvelles de Manoel. Je lui dis qu'il est mort il y a dix jours. Il se remet à pleurer. On dirait qu'il veut pleurer, mais n'y arrive pas. Il me demande pardon et sort en hâte, à moins que ce soit moi qui aie l'impression de me dépêcher, je ne sais pas.

Je regarde le tableau en essayant de comprendre le miracle de ses couleurs et je m'avise alors du contraste qui existe entre la vie animant la peinture de Van Gogh et la présence de Luiz, tout sauf lumineuse.

13

Adriana dit à notre mère que nous partons jouer au volley avec nos amies de l'école. Nous sortons de chez nous ensemble, mais je vais toute seule jouer avec les autres. Nara et Regina étaient des amies inséparables et elles ont pleuré comme des madeleines lorsqu'elles ont terminé leur dernière année d'école. Finies les activités sportives, les rendez-vous dansants, les petites joies enfantines. Elles le savaient tout comme elles savaient qu'elles devraient se marier et avoir des enfants, qu'elles seraient condamnées à cette vie inintéressante de maîtresses de maison, qui les aigriraient, sans salaire, ni vacances, privées de toute échappatoire, de toute opportunité.

La nuit tombe et pas de nouvelle d'Adriana. Nous n'avions pas convenu ensemble de ce que je devais dire à ma mère au cas où je rentrais toute seule à la maison. La peur m'empêche de raisonner correctement. À Betina, je raconte que c'est Adriana qui est allée jouer au volley et que c'est Alice qui est allée au rendez-vous, et que moi, dans la position de Lúcia cette fois, j'étais restée à la maison, malade, et que je n'avais appris ce qui s'était passé que le lendemain par le biais de Nara et Regina qui, effarées, m'avaient rapporté l'histoire.

Adriana ne revenait pas et, avec Nara et Regina, je gagne le patio de la faculté, où je ne trouve pas trace de ma sœur. Je n'ai pas eu le courage de raconter à mes amies qu'Adriana est peut-être partie à un rendez-vous dans la rue Avanhandava, à l'endroit où se trouvent les équipements sportifs en plein air. Je n'en suis pas certaine d'ailleurs et je ne peux pas les y conduire pour le certifier. Après avoir déambulé pendant des heures dans la rue en quête d'une source lumineuse, Nara et Regina s'en vont. Je reste assise au pied d'un monument. Quelqu'un derrière moi me touche l'épaule, je m'enfuis en courant, il m'appelle Alice. Je ne me retourne pas.

J'arrive chez moi sans penser à ce que je fais. La maison est silencieuse. Ma mère sert un thé à Adriana, qui pleure convulsivement sur le lit, visage contre l'oreiller. Ma mère balance la tête, me réprimandant pour quelque chose que j'ignore. Je n'ai pas le courage de poser des questions. J'attends qu'Adriana me donne des explications, mais elle prend un cachet et elle dort. Je vais aux toilettes et j'y reste jusqu'au lever du jour. Ma mère ne me dit rien. D'une certaine manière, je n'existe pas.

Le lendemain, c'est dimanche. Adriana me propose de faire un tour dans le quartier, et je préviens notre mère que nous sortons. Je lui demande pourquoi elle est allée se coucher sans me parler, je lui rappelle que nous nous étions donné rendez-vous sur le terrain de volley et que sa disparition m'a mise dans une situation horriblement embarrassante. Je lui dis que je l'ai cherchée pendant toute l'après-midi. Que notre mère doit penser que je suis la fautive.

Adriana m'interrompt pour me dire qu'elle est tombée sur les corps de Fábio et Lúcio juchant le sol de l'appartement de la rue Avanhandava. Il y avait des impacts de balles et des taches de sang sur le mur. Je ne sais pas qui est Fábio et n'ai pas la moindre idée de qui peut être Lúcio. Je ne lui pose pas de question, elle ne me dit rien. Elle détourne le regard pour me faire comprendre que tout cela est secret. Que notre mère pense qu'elle s'est fait détrousser, vu qu'elle n'a plus son sac, où elle rangeait ses livres. Je lui demande pourquoi notre mère me jette des regards mauvais. Dans les eaux troubles du silence où flottent les têtes de ceux qui sont morts ce jour-là, Adriana me dit qu'elle ne le sait pas.

* * *

Manoel voulait avoir des enfants. Après la prison, je ne suis plus jamais tombée enceinte, et même si je savais que c'était une espèce de devoir pour une femme de ma génération, je priais tous les soirs pour que cela ne m'arrive pas. Je ne voulais pas être mère, mais j'avais pitié de Manoel car je savais qu'un enfant aurait pu lui redonner un peu de l'espoir qu'il avait perdu au cours de sa vie. Je suis même allée jusqu'à considérer que ce manque était la cause de sa mauvaise humeur, de ses absences, de son silence. Mon corps pensait différemment et me protégeait. Et son corps usé par la boisson disait pareil.

Mon sens pratique m'incline également à penser que, si je n'ai pas d'enfant, je n'ai pas à m'expliquer sur ma vie, et pourtant libérée autant de mes fautes que de l'obligation de les expier.

* * *

Je faisais un effort pour ne pas pleurer, comme je le ferais par la suite en ouvrant la lettre de ma mère à Betina. Pleurer ne m'aurait pas aidé alors, et cela ne m'aide pas aujourd'hui non plus, parce que pleurer, c'est assouvir un besoin d'autosatisfaction, qui ne m'intéressait pas, et qui ne m'intéresse toujours pas.

Je n'ai pas pleuré pour Manoel. Comme un homme, j'ai fait un effort pour ne pas pleurer, parce que pleurer, que ce soit avant ou après sa mort, n'aurait eu aucun sens. Ces larmes que je n'ai pas pu verser, ce sont celles que j'aurais dû verser pour mon père, celles que je devrais un jour verser pour Adriana.

La mort m'a toujours paru aussi insipide que la vie, tellement insipide qu'elle ne mérite pas la moindre émotion. Je dis cela à Antonio et il m'écoute, en me disant que je suis curieuse. Antonio est excessivement logique et, de ce fait, excessivement rigide. Il comprend que je ne veuille pas pleurer, parce que cela entre dans sa logique, il y adhère, mais il ne comprend pas que la vie ne mérite pas la moindre émotion ; il est exagéré de dire cela, selon lui. Il ne comprend pas la démesure de mes paroles, parce qu'il ne comprend pas la contradiction réelle qui conduit une personne à affirmer avec émotion que la vie ne mérite pas la moindre émotion.

Manoel en aucun cas ne peut comprendre des considérations de cette nature. Malheureusement, je ne suis pas comme Betina, qui entretient des relations sexuelles avec des femmes. J'ai toujours pensé qu'Adriana aussi était lesbienne, c'est pourquoi j'ai du mal à croire qu'elle ait pu tomber enceinte, à moins qu'elle ait été victime d'un viol, comme moi.

* * *

Les fausses ouvertures débouchent sur de faux horizons, où terre et ciel se confondent. En face, la ville comprimée entre des murs infinis est un labyrinthe dont on ne peut pas s'échapper sinon pour entrer dans un autre.

Je me tiens debout, les pieds collés au sol par pure inertie, je regarde par la fenêtre de cet hôtel bon marché, où Antonio et moi nous adonnons à une sexualité dont le prix est fixé par le marché. Il n'y a pas de parapet. Toutes les fenêtres de la ville sont closes par décision de justice, depuis les dernières vagues de suicide. Le conseil municipal a promulgué un arrêté qui criminalise quiconque met fin à ses jours et le punit en le privant d'obsèques et en lui confisquant ses biens. Je me dis que la mort est réellement un miroir en me souvenant du prix de l'incinération de Manoel au marché noir.

* * *

Antonio a de petites mains, alors que les miennes sont immenses. En comparaison, son menton est tout petit. Ses yeux de chouette s'ouvrent à grand peine, alors que les miens se ferment rarement. J'observe ses mensurations. Sa taille de haut en bas, celle des doigts, le dessin des veines saillantes du bras et de l'avant-bras. Le volume de la tête, la distance entre le cou et le nombril, la circonférence des mollets, les dimensions – modestes – du pénis. La maigreur de l'abdomen est la preuve qu'Antonio mange peu. Il ne boit pas. Ses rares poils sont éparpillés sur son corps. Sa chevelure épaisse sent mauvais, s'il ne la lave pas tous les jours. J'essaie de le consoler en lui disant qu'il est charmant et qu'il suffit de le regarder pour le désirer. Qu'on n'a pas besoin de s'approcher de lui et de le sentir. Il sait que je mens. Il est difficile de deviner ses ascendances génétiques, il y a des composantes indiennes, noires, blanches, qui sont visibles sur son corps. Antonio avait beau s'évertuer à escamoter ce passé, c'était un métis, avec une fossette au milieu du menton, des sourcils épais, un nez bien dessiné. Un corps facile à vendre.

Je sais que mon regard fabrique son cercueil. Antonio ne s'aperçoit pas que je le contemple, il est trop occupé à se regarder dans le miroir, alors qu'il me besogne. Je me dis que je le désire avec une certaine pureté féminine. S'il était intelligent, si j'avais vingt ans de moins, je tomberais certainement amoureuse de lui. J'arrive à l'apprécier comme on apprécie une paire de chaussures neuves dans laquelle je me sens à l'aise, jusqu'à l'heure où je les range jusqu'au lendemain.

* * *

Je me réveille en sursaut du cauchemar de l'étang. À la télévision, un documentaire montre une scène où une femme pose un couteau sur le visage d'un homme. Son nom est Tuira et elle ne restera dans la mémoire des téléspectateurs que par cette image avant la mort de son peuple. Elle n'est qu'une image et, à ce titre, elle est morte. La vie est moins importante pour un homme que le besoin d'afficher son indifférence à la peur. Il est mort. La femme ne peut rien contre cet état. Elle est morte tout comme sont morts les siens.

À quoi bon le chanteur Sting se joindre au cacique Raoni, puisqu'ils sont morts tous les deux. Ils se donnent l'accolade et pourtant ils sont morts. Tout mène à la mort. Mais avant que la mort ne survienne, un processus de dégénération et de putréfaction s'annonce à travers les rêves. Comme si nous pourrissions avant de mourir et non l'inverse.

C'est la coupure publicitaire. Je zappe et je n'arrive pas à retrouver la chaîne initiale. João dort à côté de moi, se réveille pendant la nuit et s'enquiert de Betina, alors qu'il ne le fait pas dans la journée. Je lui dis *dors, demain on saura où est ta mère*, et je passe une nuit blanche sans avoir la moindre idée si je pourrais tenir ma promesse.

14

Depuis longtemps, l'étang, tout comme la télévision, exige que je les contemple. Images de la prison, de la ville, du pays, de la pénurie d'eau, tout cela en même temps. Rêve et réalité, fiction et non fiction. Entre la création et la destruction, il y a les limbes de l'histoire auxquelles je suis condamnée sans avoir commis d'autre péché que celui d'exister.

Une construction invraisemblable, une destruction accélérée. Une fantasmagorie qui m'accompagne depuis des années. Des années qui ne sont pas composées de mois. Des mois qui ne sont pas composés de jours. Des jours qui ne sont pas composés d'heures. Des heures qui ne sont pas composés de minutes, ni de secondes. Le temps est un verre vide perdu dans la solitude d'un bar, comme l'un de ceux où j'ai parfois rencontré Manoel, tout en faisant semblant de ne pas le chercher.

Les années étaient des chaussures usées, les mois, de la poussière, et les semaines, les heures et les jours étaient du vent, des miasmes, de l'air stagnant, qui au-delà de la disparition qui les menaçait, étaient pour moi une roche où je m'accrochais.

Comme on se tient à la corde avec laquelle on sera pendu, je faisais semblant de ne pas voir ce qui m'arrivait. J'ai préféré rester dans la clandestinité, alors que j'avais l'opportunité d'en sortir. Pour moi, il n'y avait pas de réalité en dehors de ce que j'étais devenue : un être quelconque occupé à traverser un étang rempli de merde.

***

On ne peut pas décomposer le temps. J'utilise une montre pour m'opposer à la vie. Je la regarde en attendant Antonio, qui prend une douche au mépris des mesures de rationnement d'eau.

Il sort de la douche, ouvre son sac à dos et me donne un petit bouquet de fleurs en me disant qu'il m'aime. Assise sur le lit, je lui montre mon étonnement et je le console en lui disant de ne pas s'en faire, que cela va passer. Je me retiens de rire. J'ai pitié de lui, lorsqu'il me demande si je n'ai rien à dire au sujet des fleurs. On dirait qu'il prend au sérieux ce qu'il fait et ce qu'il dit. Je lui réponds que je ne sais pas comment réagir à des éléments qui ne sont pas prévus dans les clauses de notre contrat.

Il me demande plus que je ne puisse lui en donner. Et plus que je ne peux payer. Il me demande de créer un lien sous prétexte de ces fleurs en plastique qu'il m'offre, comme si je devais les accepter. Je ne sais pas quoi faire et je me demande si j'ai le droit de tout plaquer et partir ou bien y-a-t-il d'autres manières de vivre ?

Je prends alors congé d'Antonio. Je dis que j'ai une surprise pour lui. J'ouvre la porte de la chambre et je m'en vais. C'est l'une des dernières fois que nous nous voyons.

* * *

Vivre, c'est cela. Je veux dire cette chose effroyable qui est de vivre alors qu'on devrait être mort.

Je découpe les années en morceaux et je n'arrive plus à les rassembler. La vie, ce sont des fragments que l'on recolle. Un film d'auteur, dirait Antonio, dans l'un de ses moments de bonne humeur, où il veut paraître intelligent en utilisant des clichés.

* * *

Juste après notre déménagement à Madrid, Manoel achète une bague en or, alors que nous en avons très peu d'argent pour vivre, et il me la donne pour mon anniversaire, en me prévenant tout de go qu'il s'agit d'une bague de mariage. Il fait froid. Il ne me le demande pas, mais je dis oui, un mot qui me fait entrer dans une réalité étrange. Aujourd'hui, je constate que la réalité n'a rien à voir avec cela.

Je demande à Manoel s'il portera une bague. Pour de nombreuses raisons dont l'un est son mauvais caractère, je ne peux pas dire *alliance*, bien que je sache qu'il s'agisse de cela. Dire *bague* est plus facile. Il répond seulement *non*, avec une sorte de fermeté qui me dissuade de lui demander pourquoi.

Nous vivons ainsi année après année. Je ne l'interroge pas toujours, il ne me répond pas toujours. Accepter son mode d'être sans le remettre en cause est une manière de vivre sans s'embarrasser de scrupules. Sa mort est un immense soulagement parce que mes questions cesseront de rester sans réponse. Je n'aurai plus à lui poser de question. Maintenant je peux demeurer seule et ne plus avoir de doutes concernant des sujets qui de fait ne m'intéressent pas.

Seulement, aujourd'hui, je me demande si Manoel ne m'a pas donné cette bague juste pour rire. Je me demande s'il ne jouait pas, lorsqu'il m'emmenait sur la place du centre-ville, devant la chapelle, pour me demander de rester avec lui pour toujours. Je lui demande si vraiment ce doit être pour toujours, et il baisse les yeux, accomplissant le seul geste de toute notre vie commune qui – semble-t-il – m'accorde de la considération. Il me prend pourtant la main, me met la bague au doigt et me demande où nous allons manger sans répondre à ma question.

Je dis non. Il fait mine de ne pas entendre. Son silence est le mien. Au restaurant, nous mangeons en silence. Je n'ai qu'une idée en tête à cet instant, décamper, et je reste à ses côtés pour toujours.

Je regarde ma bague, mon doigt, ma main, je suis entre la prison et la liberté. A bien y réfléchir, je suis entre la prison et la prison. Il y a une maison autour de mon corps, comme une espèce de corps qui contient le mien. Et la maison ne semble pas être faite pour vivre en paix.

Me vient à l'esprit l'image de la maison où j'ai vécu avec mes parents, comme celle de la maison où j'ai vécu avec Manoel. Il y a une photo du salon dans l'enveloppe, avec la lettre écrite par Elza, que je croyais avoir perdue. Je lirais volontiers cette lettre jusqu'à la fin et d'une seule traite si ses mots ne me fatiguaient pas à ce point. Je dois prendre une décision. Je vais à la fenêtre et je jette la bague. Il y a plusieurs étages et il est impossible de savoir où elle va atterrir. Je range la photographie en noir et blanc.

Adriana a quinze ans, elle se tient debout entre nos parents, qui sont chacun assis sur une chaise, main dans la main. Elle porte fièrement une robe brodée de petits motifs floraux. Je me souviens du jour où, l'ayant revêtu pour la première fois, la couturière est venue chez nous. Ma mère a rameuté le voisinage et appelé, en toute urgence, le photographe pour documenter cette merveille. La couleur de la robe n'apparaît pas sur la photo, qui était d'un rose très clair, presque blanc. Je me souviens que j'adorais ce tissu lustré et je rêvais d'avoir le même, lorsque ce serait mon tour de célébrer mes quinze ans. La fête a eu lieu chez nous, à la demande d'Adriana, qui n'aimait pas s'exhiber, en dépit de sa robe luxueuse.

Beaucoup de gens était venu à la fête, ses camarades de l'école, les professeurs, les bonnes sœurs, les bons pères. L'appartement était bondé. Adriana était une fille vraiment populaire. Je me suis couchée tôt et personne ne s'est aperçu de mon absence.

Sur la photo de famille immortalisant la fête des quinze ans d'Adriana, je suis à côté de mon père et je ne souris pas. Je me souviens bien du moment où elle a été prise. Mon père faisait ce que ma mère lui demandait, et moi aussi. Nous étions deux figurants mettant en scène la relation entre une mère et une fille, qui n'était pas moi. Adriana a posé sa main sur l'épaule de notre mère. Elle arborait à son doigt la bague qu'Elza lui avait offerte ce jour-là. J'ai de la peine pour elle à présent. Elles n'ont pas pu vivre ensemble.

Il n'y a pas de photo de mon anniversaire, parce qu'il n'y a pas de robe. Il n'y a ni fête, ni photographe, ni gâteau, ni invités.

* * *

C'est là que je me cache, dans cette maison simple, pareille à n'importe quelle autre maison, avec sa chambre et son salon, sa cuisine et ses couloirs, ses meubles qui suffisent à composer un confort sommaire sans rideau, ni coussins, où les murs sont dépourvus de papier peint, de tableau ou de miroir. Un lieu qu'on s'apprête à quitter, plutôt qu'un endroit où l'on vit. Une maison pour se protéger de la réalité, lorsqu'on n'arrive pas à se protéger de soi-même.

Je loue un toit avec l'argent que je reçois de la sécurité sociale parce que j'ai été la femme de Manoel, et la rue est le destin réservé à ceux qui n'ont pas de quoi payer.

C'est sous ce toit que je conserve Manoel sous forme de poussière, rangé sur les étagères à côté de mes rares livres. Un éléphant indien fabriqué en Chine et acheté chez un vendeur ambulant lui fait compagnie dans cette nouvelle clandestinité.

Près de cette adresse, nombre d'années auparavant, l'édifice Copan abritait l'appartement moderne de mes parents. Il regorgeait de souvenirs de voyages, de fleurs et de pierres précieuses, de tapis et de miroirs, de vaisselle et de linges, en plus d'être équipé d'une radio et d'une télévision, d'un mixer et d'un four électrique. Un téléphone ornementait ce quotidien bourgeois et luxueux.

Les souvenirs, à mes yeux, ne sont pas l'essentiel. Je me demande si l'essentiel, ce n'est pas quelque chose comme le futur. João en est la preuve. Betina n'est pas là et cette absence crée une espèce de doute.

* * *

J'entre dans la salle d'interrogatoire, cagoulée. C'est le DOI CODI, l'organe d'intelligence et de répression du régime militaire. Ils me demandent comment je m'appelle et je réponds Alice. Ils me demandent alors encore une fois mon nom et je réponds encore une fois Alice. Ils me le redemandent plusieurs fois d'affilée. Je leur dis mon nom et il me repose la question. Je leur donne mon nom et mon prénom et rien ne change. Je m'aperçois qu'il y a quelque chose qui ne va pas et je m'en afflige. Il y a de la méchanceté dans leur manière de m'interroger, une pointe de cynisme dans le ton bas et faussement calme sur lequel ils répètent la question. Je me contrôle pour ne pas pleurer et je réponds encore une fois, le plus tranquillement qui soit, Alice. Ils répètent la question à satiété. La torture a déjà commencé.

Je ne me souviens plus combien de fois ils m'ont posé cette question, mais certainement des dizaines de fois, et je réponds. À partir d'un certain moment, si je ne réponds pas, comme cela s'est produit à quelques reprises, je reçois une gifle. Ce geste a le pouvoir de déstabiliser, mais je garde le contrôle de moi-même. Ils s'attendent à tout moment à ce que je dise le nom d'une autre personne, n'importe laquelle. Je pourrais faire en sorte qu'ils s'arrêtent. C'est ainsi que très longtemps après, peut-être des heures après avoir répondu Alice des dizaines, ou des centaines de fois, je dis Adriana.

Si j'ose leur demander des explications, cagoule sur la tête, toute capacité d'imagination et de raisonnement compromise voire anéantie, je me vois infliger des électrochocs. Dans mes doigts, mon visage, une douleur toujours plus intense, pendant des heures. Ils me posent des questions que je ne comprends pas. Ils mentionnent des noms, des personnes, des organisations, des opérations, dont je n'ai jamais entendu parler. Je réponds que je ne sais rien, que je ne les connais pas. Je réponds invariablement que j'ignore tout et, de fait, c'est la vérité. Si j'avais alors eu la réponse à leur question, j'aurais parlé, c'est sûr. Mais ce n'était pas le cas, donc je ne parle pas.

Certes je me dis que si j'avais su quelque chose à cet instant, j'aurais parlé, cependant je me sens moins mal aujourd'hui parce que, de fait, je n'en ai rien fait, et je me dis qu'il en est mieux ainsi. C'est la seule chose que je peux dire, car j'ai survécu seulement pour dire que j'ai survécu.

Je deviens Adriana pendant des mois, et lorsque je sors de prison, je ne suis plus personne.

* * *

Écris un livre, me conseille Antonio. Je ne l'écoute pas. La mémoire peut être un devoir et pourtant elle ne nous sauvera pas. La mémoire n'est en aucun cas la justice. Adriana ne reviendra pas. Alice non plus, je lui dis qu'il n'y a pas de justice pour les morts. Je ne lui dis pas que s'il veut enterrer les morts, alors il doit m'enterrer moi.

* * *

Je cherche mes mots. En effet, lorsque nous sommes entièrement dépouillés, il ne nous reste plus qu'eux. Je dis à Antonio que nous sommes faits de manques, et pour changer, il ne comprend pas.

J'essaie de lui expliquer le sens du mot « plomb » et de quelques autres qui, de temps en temps, occupent mon esprit, mais il ne comprend pas. Ce n'est pas une question de formation scolaire, mais de sensibilité et de disposition. Je m'aperçois très vite qu'Antonio est un homme jeune qui ne sait rien de la vie et qui encourt le risque de ne jamais rien savoir sur elle. Il survit grâce à son arrogance. Il arrive souvent que les gens se nourrissent de leur arrogance, qu'ils soient riches ou pauvres. Je dis le mot « plomb » à voix haute, car j'ai envie de l'entendre. Je le prononce dans l'espoir de modifier les dimensions de cette chambre exiguë, après quoi je le laisse seul, non sans avoir payé l'hôtel sale et bon marché avec, encore une fois, l'enveloppe d'argent destinée à Antonio, que je laisse à la réception. Je deviens libre à chaque fois que je m'autorise à être seule.

Un mot dit à haute voix a le pouvoir magique de me reconstituer. C'est ma méditation personnelle. Mon soutien spirituel. Ma poésie, je veux dire, mais Antonio fait partie des gens qui n'écoutent pas. Je ressens alors de la pitié, et je m'éclipse comme j'ai l'habitude de le faire depuis le début.

Comprendre ce que dit Antonio est devenu une espèce de jeu. Il continue d'être une personne curieuse pour moi, parce que, lorsque j'ai de la patience, je cherche à comprendre son mode de pensée, ses opinions et ses préjugés. J'aurais dû retourner à mes études, j'aurais dû prendre des cours à la fac de philo, avant qu'on la ferme. Maintenant on ne peut étudier que la théologie ou les sciences exactes dans des écoles techniques. La prostitution est légalisée, l'avortement est toujours criminalisé, toute pensée critique est persécutée, et seuls les pasteurs et les prêtres recueillent des votes lorsqu'ils se présentent aux élections. Je ne comprends pas le monde où nous vivons. Je sais seulement que nous devrons en sortir tôt ou tard.

Pourtant, je voudrais comprendre pourquoi Antonio croit qu'il va vaincre, comme il me le dit tant de fois. C'est pour cela que nous continuons à nous voir. Je lui demande ce qu'il veut dire par vaincre, pourquoi il dit vaincre et non *vendre*. Il s'énerve et me demande d'arrêter de le provoquer. Je lui suggère de vaincre son énervement. Cela changera peut-être quelque chose dans sa vie. Il me traite de mufle. Je lui dis, en plaisantant, qu'il est hystérique. Antonio est de plus en plus irrité. Je lui dis que son comportement vérifie ma thèse. Il en est offensé et, cette fois, c'est lui qui me laisse en plan dans le café où nous buvons un jus d'orange, meilleur marché qu'un verre d'eau, après notre rapide passage au motel de la rue Aurora, que j'ai choisi pour aujourd'hui et qu'Antonio trouve mal fréquenté. Il sort, j'ouvre le livre de Margaret Atwood que je tiens dans ma main et je le lis jusqu'à la tombée de la nuit.

* * *

La nuit a vidé la rue. Je vais à la fenêtre et je crie oui et non. Je m'éloigne des bruits d'agonisant émis par Manoel, qui est sous sédatif, allongé sur son lit. Par la même occasion, je m'éloigne de mon propre corps en transe.

L'état de Manoel s'améliore un peu au cours des jours qui suivent. Il me demande de le ramener à São Paulo. Nous sommes déjà à São Paulo, mais je ne sais pas comment le lui dire, je préfère lui répondre qu'il est mort, pendant qu'il est tenaillé par la fièvre.

Je vois par la fenêtre la foule envahir les rues. Je dis à Manoel que la révolution est arrivée. Perclus de douleurs, il va jusqu'à la fenêtre, mû par les rares forces qui lui restent. Je l'aide, car je m'attends à le voir tomber à tout instant. Je préférerais qu'il reste allongé, mais il insiste pour marcher jusqu'à la fenêtre. Là, nous pouvons voir l'armée et la police attaquer la population. Je ne connais pas encore Betina ni João et tout ce spectacle ne m'émeut pas. Manoel se réjouit de la guerre à laquelle il assiste à une distance de vingt étages. Dans son délire nocturne, il déclare que tout le monde doit mourir. Le pouvoir aux militaires, décrète-t-il avec un étrange sourire. Je me dis que c'est une contradiction et je regrette que, dans son agonie, il confonde tout ou qu'il soit devenu fou.

Après la mort de Manoel, je me suis délivrée de l'envie de crier. Pour un temps, tout du moins.

* * *

Je partage avec Antonio cette parcimonie, cette pauvreté quasi franciscaine, comme il aimait à le dire. Même s'il a augmenté sa garde-robe d'un manteau chaud, il est toujours aussi miteux.

Antonio ne s'est jamais délivré de son péché originel. Il méconnaît la ville et il ne se connaît pas lui-même non plus. Pour un esprit aussi trivial, me connaître est un luxe qu'il ne peut pas se permettre. Antonio utilise encore une carte en papier plutôt que numérique. Je pense parfois que cela résume sa personnalité.

Il transporte, dans sa serviette grise, un ensemble de signes qui chiffrent sa vie, la réduisant ainsi à des bouts de papier, qui prétendent composer un livre qu'il n'arrive pas à publier, malgré des années passées à écumer les éditeurs, qui d'une certaine manière l'humilient. C'est une collection de pensées sur l'ignorance, qu'il rassemble depuis son adolescence, une œuvre en mille morceaux recueillis par un homme lui-même en mille morceaux, voilà ce que je pense sans le lui dire. Antonio n'escompte pas devenir écrivain avec une telle matière, il n'est pas assez stupide pour le penser.

C'est pire que cela, il espère gagner de l'argent : il est plus que stupide. À notre époque, où les gens s'intéressent de moins en moins aux récits écrits, où l'audiovisuel est pratiquement le seul moyen de connaissance, c'est peut-être moi qui suis stupide, car j'aime lire d'épais volumes et je n'ai personne avec qui en parler.

15

Ma mère, la narratrice de l'insignifiant. C'est ce que je pense en voyant la lettre posée sur la table du salon. Il me reste quelques pages avant de la terminer. À la vérité, j'ai tout juste commencé. João reviendra dans quelques heures. J'ai envie de lui proposer de regarder un film. Je vais au marché m'acheter du pop-corn et je m'assieds pour affronter cette lecture.

Je cherche le passage où je me suis arrêté, à la troisième page. Ma mère a écrit : *la vie telle qu'elle est, voilà ce dont il est question dans cette lettre.* Cette formule éveille en moi un sentiment qu'il vaudrait mieux que je garde au fond d'un tiroir. C'est comme une montre qui ne marche plus et qu'on n'a pas le courage de jeter à la poubelle. Ce sentiment étrange nous fait pousser des ailes et menace de nous renverser par la fenêtre, à la moindre inattention.

Je terminerai malgré tout ma lecture. Après une brève méditation sur la solitude et la vie telle qu'elle est, ma mère continue de se poser des questions sur Luiz. Elle parle des prêtres qu'elle a invités à déjeuner chez nous à l'époque où Adriana envisageait d'être bonne sœur. Adriana adorait nous mettre sur des fausses pistes et ce projet d'entrer dans les ordres en était une. Si elle en avait eu sincèrement l'intention, elle aurait invité des nonnes. Luiz était venu avec Ricardo et Ronaldo, deux prêtres que ma mère suspectait d'être amants. Je n'ai jamais compris ce qu'Adriana recherchait en les lui présentant. J'ai un souvenir très vague de cette journée. Je me rappelle avec netteté que mon père était parti en voyage et que ma mère avait trop bu au cours de cette soirée. Je suis allée à la cuisine chercher de l'eau et en passant par la salle à manger, je l'ai entendue demander lequel des deux renoncerait à sa vocation pour se marier avec Adriana. J'ai trouvé drôle la réaction de ma sœur, elle est restée muette, rouge de honte, et elle lui a demandé de se calmer, car elle était la mère d'une jeune femme élégante et bien éduquée.

Elza mourait de peur à l'idée qu'Adriana devienne bonne sœur. Son hospitalité exagérée lui permettait de masquer cette peur, et en même temps, de mettre mal à l'aise les prêtres sans en avoir l'air. Elle avait fait une donation très généreuse à l'église, le prix d'une voiture, j'ai entendu dire. Je ne savais pas d'où ma mère avait pu tirer cet argent sinon de la poche de mon père. J'ai eu pitié de cette esclave de son foyer, volant son maître avec la complicité d'Adriana. En même temps, elle était rusée. Elle a annoncé qu'elle donnerait encore davantage si on renonçait à séduire sa fille. Le fait d'être ivre lui permettait de dire cela sans passer pour une marâtre autoritaire. Elle savait que les prêtres étaient gays et elles se moquaient d'eux : elles les mettaient dans l'embarras et les soudoyaient en même temps.

On n'a pas beaucoup parlé de Dieu à table. Adriana s'était coupé les cheveux très courts, comme les garçons de l'époque, et ils lui faisaient des compliments pendant des heures tout en discutant mode. J'entendais la conversation depuis la chambre. Ce soir-là, Adriana avait tressé mes cheveux, que je portais encore longs et que je ne soignais pas. Je n'ai pas tardé à les couper, ce qui a facilité la confusion avec elle.

Ma mère transforme sa lettre en mémorial à l'adresse de Betina. Je pense à l'insistance de cette dernière pour que je la lise en entier, et je suis sur le point d'y renoncer. Ce qu'Elza pensait ne m'intéresse pas à présent, je n'arrive pas à me concentrer. Elle se montre préoccupée par ses filles en ces temps où les femmes ont le droit d'étudier, contrairement à elle, qui n'a terminé le lycée pour pouvoir se marier. Elle explique qu'Adriana et Alice faisaient ce qu'elles voulaient toute la journée, et même si elle avait peur, elle pensait qu'il valait mieux qu'il en soit ainsi. Elle explique qu'elle a des objets à donner, qu'elle voudrait laisser à Betina le piano d'Adriana. Elle demande, dans l'hypothèse où elle revenait, à ce qu'on le manipule avec précaution.

Ma mère s'enquiert alors de ma tombe. Elle veut savoir si Betina la fleurit. Elle écrit qu'elle n'a jamais réussi à me comprendre, que j'étais trop silencieuse, trop rétive, que je la fuyais tout le temps.

Dans sa mémoire, je suis une trace, une tache qui réapparaît de temps à autre.

* * *

Dans la salle à manger, carré sur son fauteuil, mon père tient dans ses mains *L'origine des espèces*. Il est toujours sur la même page depuis des heures. Ma mère s'aperçoit qu'il dort. Elle pense que les voies du destin sont impénétrables.

Elle est dans la cuisine à faire des gaufrettes à la cannelle, dont personne ne veut plus. Maladroite, elle renverse de la farine par terre, elle attend que l'employée de maison qu'elle n'a plus vienne nettoyer les saletés qu'elle a faites. Un tyran quiquivi entre par la fenêtre et vole autour de sa tête. Elle a envie de rire de l'oiseau emprisonné. Elle rit toujours de tout. Mais pas cette fois.

Son rire disparaît avec Adriana. Moi, je suis tout simplement morte.

* * *

Grâce aux murs qui m'entourent, je sais que je suis là où je suis. Ils m'assurent que je ne tomberai pas, que je resterai campé sur mes jambes. Que je comprendrai les choses d'un point de vue pratique. Pour ce faire, je dois prendre soin que les murs restent des murs, délimitant le périmètre d'une maison et non d'une prison.

Dans sa lettre, ma mère parle de compréhension. Je concentre toute l'attention de mon corps, ce corps que supportent mes jambes, sur les mots dont elle a noirci ces pages. Je me dis justement que toute compréhension est impossible. Pourtant, je me concentre sur ce mot, sur ce qu'il signifie. J'ai l'impression qu'Antonio m'appelle à la porte pour me faire voir un nouveau modèle de voiture qui passe dans la rue, mais c'est seulement la fatigue qui me gagne, à force d'habiter les limbes entre réalité et fantasmagorie. Antonio est une apparition qui s'éclipse aussitôt. Je préférerais la compagnie de Calcilda Becker, et elle n'est pas là.

La compréhension, écrit ma mère, voilà le sentiment dont les prêtres font preuve. Elle me dit qu'après avoir attendu des années, elle est allée en trouver un. Elle a rapporté à Betina que le prêtre lui a seulement dit que le Christ avait été mis à l'épreuve et que, malgré sa souffrance, il s'était montré compréhensif, justement parce qu'il était le Christ. Elle écrit que suite à cela, elle s'est résignée. Adriana avait accompli son destin et, elle aussi elle, devait être compréhensive.

Moi, je ne comprends pas, tout comme je ne comprends pas ce Christ, à chaque fois que je médite sur le poids de la vie et le poids de la mort, ces deux poids qui se confondent.

Je pense au fait qu'on devrait être plus compréhensif à mesure que les années passent. Mais ces années qui passent, ce sont au fond mes cheveux qui tombent, en s'accumulant sur mes épaules. Cheveux qui sont comme des fils de plomb, denses et pesants, qui tirent mon corps tout entier vers le bas, comme si le poids des diverses parties de mon corps, qui ne pourront jamais plus être rassemblées, m'entraînait dans un trou, une ouverture que j'aurais moi-même creusée dans le sol ; et je disparaîtrais pour toujours dans ce trou sous les poignées de terre que je me jetterais sur moi-même avec l'aide nonchalante de quelques autres.

C'est cette disparition que je peux décrire, sans toutefois la comprendre. C'est elle qui explique la sensation que j'éprouve lorsque je pense à mon corps à l'instant présent. Je ne suis pas là. Dans ce temps éternellement présent, les années passent comme les visages inconnus des nombreuses personnes que j'ai rencontrées, geôliers, soldats, prisonniers, qui ne savaient pas, tout comme moi, ce qu'ils faisaient là.

Mes parents, vieux désormais, sont ces personnes qui ont plusieurs visages. Des personnes dont la vie peut s'expliquer par la somme et la soustraction de tant de visages, qui s'en vont comme des mots dits au hasard, perdus dans la masse de terre indiscernable qui comble peu à peu le trou insondable que j'occupe. Les visages s'en vont comme s'en vont les années et ils s'obstinent à rester, fébriles, présents sous forme de fantasmagories qui sont là, mais n'y demeurent pas, comme reflétés par des miroirs qui couvriraient les murs d'une salle entière, entraînant une inévitable confusion. Il m'est difficile de m'expliquer avec des mots moins abscons, parce que cela fait longtemps qu'une autre manière de voir m'est devenue impossible. Habiter l'impossible est devenu un fait. L'impossible est le lieu que j'habite. Un lieu que j'ai conquis au cours de ces années, si on peut parler ainsi.

Mes épaules tombent sur mon corps comme si elles n'en faisaient pas partie. L'avachissement est inévitable. Passées quarante et quelques années, je connais le poids que le temps confère aux choses, et qui fait que la vie pèse indépendamment de lui. Ce temps de plomb qui ne peut pas se passer du corps, qui finit par en faire partie intégrante.

* * *

La persécution est un mode d'être que les paranoïaques m'ont inculqué, et qu'ils ont ancré dans mon corps au moyen d'électrochocs et de coups sur les oreilles qu'ils m'assénaient avec une délectation perverse. Il n'y a pas de mots pour décrire cela, et pourtant j'essaie de le raconter. Les mots sont un obstacle depuis cette époque, et pourtant je m'en remets à eux à présent en lisant la lettre que ma mère a écrite à Betina, et je pense aux lettres que je n'ai pas écrites.

Comme toute personne qui habite ce monde avec le minimum de conscience vitale, j'ai mis du temps à comprendre que je ne suis le centre de rien, pas même de ma propre vie. La vie ne continue pas pour quiconque survit. Je dis à Antonio qu'il y a des micros chez moi, qu'on vient parfois frapper à ma porte. Cela ne m'arrivait pas lorsque j'habitais à l'étranger. Mes persécuteurs sont réels. Antonio me dit que j'ai besoin d'un psychiatre et que le rêve de l'étang rempli de matière est la preuve que j'ai vraiment besoin de médicaments.

Ce jour-là, je ne me souviens plus dans quel café je l'ai laissé en plan, sans payer l'addition. Je ne le reverrai plus.

16

J'écris un mot à León. Je lui révèle ma peur d'être tombée enceinte, je lui dis aussi que j'ai peur qu'Adriana raconte à ma mère qu'elle ne m'a pas vue. León m'emmène discuter dans la maison de la rue Avanhandava, où Adriana ne m'a jamais conviée à entrer. Elle est attablée dans le salon, avec autour d'elle des gens que je n'ai jamais vus, je reconnais seulement Luiz et Manoel qui sont assis côte à côte. Adriana me regarde puis ferme les yeux, balance la tête de droite et de gauche, et je ne comprends strictement rien à ce qui se passe. J'entre dans la chambre avec León. Il me demande de lui dire ce que j'ai à dire, lorsque quelqu'un frappe à la porte. Je me tais.

Avant que je n'aie le temps de dire quoi que ce soit, León se sauve par la fenêtre qui donne sur le toit. Il est suivi par deux autres hommes que je n'ai jamais vus et qui étaient également attablés. Les autres restent dans le salon et se regardent mutuellement en silence. Je devrais sortir par la fenêtre, mais je vais trouver Adriana pour savoir ce qui se passe. Elle me regarde avec effroi et me demande de lire sur ses lèvres, *sauve-toi par la fenêtre*. Mes pieds sont rivés au sol. Je n'ai pas idée de ce qui se trame.

Tout se passe très vite. Les hommes entrent en donnant un coup de pied dans la porte, bien qu'elle soit restée ouverte après notre arrivée. On m'enfile une cagoule puis on me menotte. J'entends Adriana leur dire de me laisser partir car je ne suis pas de la bande. J'entends mon nom, puis un tir et le silence qui se fait alors m'annihile pour toujours. Lorsqu'on me met dans la voiture, cagoulée, je n'arrive pas à imaginer ce qui m'arrive. Le tir ne me visait pas, et je crains qu'il ait été destiné à Adriana.

Mon corps occupe tout le coffre de la voiture qui a démarré. À côté de moi, il y a un corps inerte comme une pierre. L'odeur d'Adriana. Je l'appelle, elle me répond, *Alice*, ensuite nous ne disons plus rien.

* * *

On nous a anéanties. C'est cela que Betina doit savoir une fois pour toutes. Elle doit savoir qu'à partir d'un certain âge, le temps qui nous reste représente peu de chose. Tôt ou tard, il faut arrêter de garder des secrets sans raison.

Être vivant et vivre sont deux choses différentes. J'ai survécu, contrairement à Adriana, qui n'a pas eu cette chance, bien que ce ne soit pas exactement une chance : j'ai survécu, c'est une donnée et voilà tout.

Je vis, c'est un fait, même si ce fait se résume à être là, et ne consiste nullement à agir sous l'impulsion du désir ou de la volonté pour modifier les choses. Vivre, c'est seulement cela, avoir le corps immobile, prisonnier de l'endroit où nous rivent nos propres pieds, c'est laisser le temps inoculer à l'espace habité le venin de l'histoire.

* * *

Appuyée sur le rebord de la fenêtre, devant l'infinie grisaille urbaine, je m'efforce de lire la lettre adressée à Betina. Le couvre-feu a été décrété après qu'un député qui a perdu le contrôle de lui-même a tiré sur le maire dans son bureau. C'est le peuple qui paie pour la psychopathie généralisée des politiciens élus à grand coup de chantages et de menaces. João arrive tôt, il va s'allonger pour jouer à l'ordinateur avant de s'assoupir. Il dort jusqu'au matin enlacé à sa baleine en peluche.

Ma mère parle de mon défunt père. Sa mort ne m'a nullement étonnée. Il a mis plus de temps à mourir que je ne l'escomptais, cette pensée me vient à l'esprit, alors qu'elle devrait rester cachée. Son visage de vieillard devient un visage de mort. Ce sont des visages que je ne connais pas, que je crée en imagination. Je me demande si je ne devrais pas pleurer et je cherche à verser une larme qui, une fois encore, ne vient pas. Ma froideur m'intrigue moi-même. Je me lève de la chaise où je me suis assise avec une difficulté que je n'avais jamais encore expérimentée, et je pense au poids de l'âge.

Je profite des dernières lueurs de ce jour nuageux, pour attendre la larme qui ne coule toujours pas. Je me dis que ma pensée est inutile, que mes larmes inexistantes sont inutiles. Mes mains sont trop rugueuses pour que je puisse sentir le papier de la lettre. Je cherche à affiner mon toucher. J'appuie le bout de mon doigt. Désorientée, je lis à nouveau le commencement, le passage où Elza demande comment Betina se porte. Elle appelle Betina *ma petite*, comme elle nous appelait, Adriana et moi. Elle se demande quand elle reverra João. Elle voudrait une photo de lui.

J'essaie de me reconcentrer pour relire ces paragraphes. Ma mère est vieille, voilà ce que je pense, alors que je me laisse glisser dans l'imaginaire que façonnent ses mots. On voit bien qu'elle cherche des forces pour décrire l'image qu'elle tente de transmettre. L'encre du stylo arrive à sa fin et elle est obligée de retracer les mots en plusieurs points. Elle insiste. Dans mon imagination, l'encre de mon stylo s'épuisera avant que l'image ne s'efface. Ma mère aurait fait une bonne écrivaine, et je commence à peine à réfléchir à cela qu'elle disparaît de ce souvenir qui s'impose à présent avec la force d'une hallucination.

Mon défunt père est dans un cercueil en cèdre. C'est le cercueil qui lui est réservé, le cercueil qui lui appartient dans la mort. Je pense au cercueil où nous serons allongés. Le cercueil est notre dernière possession, tout comme les habits avec lesquels on nous enterre. Je me souviens des paroles de ma mère alors qu'elle revenait de l'enterrement de la sienne, le cercueil sans tiroir, comme elle disait, dans lequel elle avait été placée.

Elle décrit le cercueil qu'elle a acheté pour mon père sans trop choisir et elle décrit celui avec lequel j'ai été enterrée. Le mien, qui ressemble au sien, est fermé parce que mon corps est méconnaissable. Mon père est à l'intérieur du cercueil en cèdre avec l'habit d'aviateur qu'il portait au début de sa carrière, un habit que je n'ai jamais vu que sur les photographies qu'il nous montrait et qu'il avait prises lorsqu'il apprenait à voler aux États-Unis, avant notre naissance. Elle dit qu'elle a enroulé dans ses mains un chapelet de perles noires comme pour tenir ensemble les maigres phalanges du vieillard. Je me dis que mon père, mort, n'a pas la force de se débarrasser de cet objet qui ne le représente pas.

Ses gants d'aviateur sont restés sur le bord du cercueil. C'est une idée de ma mère, qui voulait toujours décorer le monde, tout embellir, même dans des moments impossibles comme celui-là. Elle demande à ce qu'on étende sur mon cercueil un tissu aux motifs fleuris et un drapeau de l'État du Rio Grande do Sul, à seule fin de cacher le cercueil en cèdre parce que selon elle, un cercueil, même beau, ne peut être que laid aux yeux d'une jeune femme. Elle raconte alors qu'elle n'a pas eu le courage de me regarder à l'instant où le couvercle a été soulevé par mon père, qui lui a jeté un regard dans le cercueil, courageusement, comme on l'attend d'un homme, avant de fermer les yeux sans verser une larme.

Nous nous devons une larme l'un à l'autre.

* * *

Ma mère décrit en détail mon père dans son cercueil, et plus sommairement, ce qu'il a laissé à sa mort : une maison, un peu d'argent qu'elle donnera à Betina et à João. Elle s'enquiert de ce dernier et demande à nouveau une photographie, comme si elle avait oublié ce qu'elle avait écrit précédemment. Elle demande le numéro de compte de Betina. Un peu plus loin, elle parle d'Adriana. Elle dit qu'elle lui manque, qu'elle voudrait avoir une de ses filles à ses côtés pour l'accompagner en cette fin de vie. *On ne peut pas mesurer la solitude*, écrit-elle. Et tout de suite après, elle déclare combien il voudrait qu'Adriana fasse son apparition. Elle ne demande pas comment elle a disparu. Ni pourquoi. *Les morts méritent le repos*, dit-elle en se référant à mon père. Je me demande si elle m'appliquera cette règle. Je suis plus morte que les autres et on ne doit pas se souvenir de moi.

À aucun moment, elle ne se pose de question sur ce que mon père a vu en ouvrant le cercueil où je devais supposément me trouver.

Je me pose des questions sur le regard de Betina lorsqu'elle lit cette lettre. Sur ce qu'elle croit que j'imagine. Je me demande si elle sait quelque chose. Je n'arrive pas à cesser de douter. Je me demande si je suis vivante ou si je suis en proie à une hallucination. La lettre ne m'émeut pas, et pourtant elle m'atteint. Je regrette de ne pas pouvoir pleurer. J'envisage d'aller à Bom Jesus avec João, pour que ma mère le voie. Je me dis que si elle voit le petit, elle mourra en paix.

Lorsque João se réveille le matin, je lui demande s'il veut faire une visite à son arrière-grand-mère dans la petite ville du Rio Grande do Sul où elle habite. Il me rétorque : au cimetière, alors. Elle est morte depuis longtemps, ajoute-t-il. Sa mère a même beaucoup pleuré, lorsqu'elle le lui a annoncé, parce que personne n'est allé à l'enterrement.

* * *

L'aversion pour le mensonge, qui a marqué ma vie, crie en moi comme cette image sur le fascicule acheté dans un kiosque à journaux, que Manoel me donne lorsque nous nous voyons en Espagne, une image du cri de Munch, un tableau exposé à Oslo, ville où je ne suis jamais allée. On ne peut pas entendre ce cri et pourtant je l'écoute.

Pour une raison quelconque, que je méconnais aujourd'hui encore, ce cri retentit, lorsque je vois les jambes de la morte mais pas son visage, la morte m'apparaît dans le cachot lorsque je suis enceinte et que j'attends ma propre fin. Ce n'est peut-être pas une présence. Il s'agit peut-être d'une hallucination, comme l'est la vie, cette vie partagée en deux, cette vie divisée, jamais multipliée, cette vie falsifiée, qui est au cœur de la vie abîmée. Une vie dont j'espère encore rassembler les morceaux, surtout lorsque je pense à João, à son futur, à la vie qu'il a devant lui. Je ne crois pas qu'il existe des forces susceptibles de me délivrer du poids de mes expériences, du tiraillement que j'ai toujours éprouvé entre qui je suis et qui je ne suis pas, tiraillement que je n'explique pas en disant que j'ai vécu entre la pesanteur et la légèreté. Mais lorsque je compare le poids avec le poids, alors oui je comprends que la vie trouve en elle-même sa propre justification.

* * *

On est déjà en septembre et Betina n'a pas donné de signes de vie. Les semaines se sont écoulées, plus d'un mois à présent. Je n'arrive pas à expliquer son absence à João, qui continue de me demander des nouvelles d'elle. Je lui parle du travail de sa mère sans savoir qu'elle en a démissionné. Il me demande si j'ai un travail. Je lui dis que j'en ai eu un autrefois et que je touche une sorte de retraite. Que je suis de cette époque, où une femme avait le droit à la retraite de son mari, lorsqu'il décédait ou lorsqu'ils se séparaient, vu qu'elle avait travaillé pour lui gratuitement. Les yeux exorbités, João regarde fixement l'arbre qu'il dessine, et s'arrêtant pendant quelques secondes, il me demande si j'ai des enfants. Je lui promets de lui raconter les secrets de ma vie, lorsqu'il aura trente ans. *Tu seras peut-être morte, Lúcia*, me dit-il tout en dessinant de minuscules feuilles autour des branches. Je me tais, interloquée. *Où est Manoel*, continue-t-il, en plaçant un nid rempli d'œufs sur les feuilles. Ses cendres sont stockées dans une urne à côté de l'éléphant indien rangé sur l'étagère. *Je peux la voir ?* demande-t-il, en laissant de côté crayon et papier. Je prends l'urne et la pose sur la table. Il l'ouvre et me dit qu'il n'aurait jamais imaginé que la mort ait cette couleur.

Je lui promets que, dès qu'il pleuvra, nous amènerons les cendres de Manoel jusqu'à la place Buenos Aires pour les y déposer. Manoel pourra continuer à vivre sous forme d'arbre décoratif, un ipê, un jacaranda comme celui qu'il dessine. Il me corrige en disant que c'est du bois-brésil.

João me demande si un jour il pleuvra. Je dis qu'il le faut, sinon nous mourrons. Il me demande comment nous vivrons, lorsque nous serons morts.

* * *

Le portable de Betina est toujours éteint. Je vais au local du parti, mais j'ai peur qu'on suspecte qu'elle ait disparu. Ses collègues me disent qu'elle a démissionné avant de partir en voyage. C'est peut-être vrai, c'est peut-être faux. Je vais à la police. Arrivée devant l'immeuble, je n'arrive pas à franchir la grille, mes pieds restent rivés au sol, et l'image de Luiz qui pleure devant le Van Gogh me vient à l'esprit.

17

Luiz est en quelque sorte un personnage sorti de l'inconscient de l'Histoire par hasard. Un de ces fantômes qui rôdent toujours autour de nous et que nous ne voyons que lorsque nous sommes distraits. Cette image de lui devant le tableau de Van Gogh ne s'efface pas de mon esprit depuis qu'elle m'est apparue. Ses larmes devant le tableau demeurent un mystère. Je pense à lui et à un moment donné de cette rêverie, il m'appelle. Peut-être que mon apparition dans le musée comporte pour lui la même teneur de mystère et d'inexplicable. Le fait qu'il m'appelle est comme la réalisation d'une pensée magique. Je lui dirais cela si nous étions un tant soit peu intimes. Pourtant, il s'adresse à moi comme si nous étions des amis d'enfance et comme si j'étais de retour d'un monde inhospitalier où je me serais perdue et dont je serais revenue par miracle. Il me demande de venir le voir le plus rapidement possible. Il me donne l'adresse en insistant pour que je la note correctement parce qu'il est difficile de s'y rendre.

Je vais lui rendre visite dans son petit appartement, qui se trouve dans un des grands complexes résidentiels de l'avenue Nordestina. Cette fois, j'y vais en métro et je prends un taxi au shopping Itaquera, où l'on vendait autrefois des articles bon marché et qui aujourd'hui sert de chenil pour des chiens perdus ou abandonnés que plus personne ne veut adopter. Le métro dessert également cette zone, mais à mesure que le centre se dépeuple, les lignes de bus s'organisent pour desservir les périphéries transformées en nouveaux petits centres. La misère n'en est pas moins présente. J'achète des pommes cannelles à une vendeuse ambulante à la porte d'un HLM et elle m'aide à trouver l'immeuble de Luiz parmi tant d'autres qui affichent le même ton grisâtre et qui sont invariablement laissés sans entretien. Je me dis que s'il officiait encore dans l'église comme curé, il ne vivrait pas dans des conditions si précaires. Les ordures gisent sur le sol, à la porte de chaque immeuble et les rats courent dans ce qui, hors de ce contexte, serait un jardin, et se régalent des restes qui prospèrent dans ce lieu où règne la négligence. La ville est envahie par les rats qui meurent de soif, tout comme les chiens et les chats.

J'imagine que Betina récuse mon point de vue sans se demander pourquoi je pense que la cause de la misère est sa propre répétition et qu'elle ne se résume pas à l'exploitation des plus faibles. Je laisse de côté pour l'heure l'image de Betina qui m'appelle pour me donner des explications. Je frappe à la porte, personne n'ouvre, je frappe à nouveau, et ainsi à plusieurs reprises, jusqu'à ce que de guerre lasse, j'éprouve le verrou qui s'ouvre sans résistance. J'entre dans l'appartement par la porte de la cuisine, qui semble être le seul accès. Sur la gazinière à deux feux, il y a une coupe en aluminium remplie de café froid. J'ai soif, je regarde partout et j'ouvre le robinet dont sort un mince filet d'eau trouble. Il n'y a pas de frigidaire. Des mouches minuscules tournent autour de deux bananes mures posées sur l'évier, qui doit également servir de table. Il y a un banc en bois sombre laissé en vrac dans une salle où rien d'autre ne pourrait tenir. À côté se trouvent une assiette sale qui contenait des haricots, une petite casserole et une coquille d'œuf desséchée depuis des jours. Je contemple cette scène de désolation. Ce mot me renvoie en creux à la réalité de cette misère, image parfaite du capitalisme, je réfléchis à cela en me demandant ce que dirait Antonio. Je ne vois quasiment pas la porte qui amène de la cuisine à la chambre, lorsque la voix de Luiz m'exhorte de la traverser.

Viens ici, ma chérie, voilà ce qu'il me dit. *Quel honneur de te recevoir dans ma bicoque,* dit-il sur un ton aussi doucereux que l'odeur de pourriture qu'exhale son lit. Appelle-moi Lúcia, s'il te plaît, dis-je en camouflant mon trouble devant son état. *Lúcia était le nom réservé à Adriana, ma chérie, je le sais, c'est moi qui l'ai choisi*, répond-il du fond de ses draps sales. *Le jour où je t'ai rencontrée au musée, je ne savais pas comment t'appeler*. Je lui réponds que je l'avais remarqué, en lui souriant pour qu'il pense que je suis à l'aise et que je ne suis pas choquée par son état. *J'ai eu la chance de conserver mon nom de baptême, alors que j'ai toujours voulu être quelqu'un d'autre,* observe-t-il.

Je voudrais lui demander s'il a réussi à devenir ce quelqu'un d'autre, mais l'odeur de pourriture me suffoque. *Si au moins j'avais eu un autre nom, j'ai toujours trouvé Luiz si fade,* et il prononce le nom de Lúcia avec gourmandise. Je l'écoute sans rien dire. Je crois qu'il est de mon devoir de l'écouter, avec un sourire faux, et de toucher sa main aussi trempée de sueur froide que la mienne. Un sentiment d'humanité m'envahit, malgré le dégoût que je ressens.

Lúcia, je vais m'habituer à t'appeler comme ça. Certaines femmes n'aiment pas qu'on les appelle chérie, je suppose que tu en fais partie. Les femmes de caractère n'aiment pas cela. Tu as toujours été farouche, secrète. Je pensais que tu étais timide jusqu'à ce que je découvre ce à quoi tu as survécu. Les timides ne peuvent pas survivre. Ou tu n'étais pas timide ou tu es une exception à la règle.

J'écoute silencieusement, en affichant un sourire forcé. J'essaie d'exprimer à la fois la gravité et la curiosité, dont la combinaison morbide me retient auprès de ce moribond qui parle avec moi comme si nous étions des amis intimes. *J'espère que tu comprends. Tu es vraiment une personne chère à mon cœur, bien qu'on ne se soit pas vu toutes ces années, bien qu'on n'ait pas eu vraiment de contact à l'époque. Tu étais toute jeunette. Je parlais souvent de toi avec Adriana. Elle connaissait tout.*

Je reste coi.

Voilà longtemps que je suis malade, vois-tu. Lorsque nous nous sommes rencontrés au musée, je venais d'apprendre qu'un de mes compagnons était mort. Nous avons la même maladie. Ce n'est pas le sida, le sida c'est du passé. Il s'agit d'une nouvelle maladie. Ce serait selon certains une espèce de cirrhose qui frappe des groupes entiers d'individus. Il n'est pas besoin d'être alcoolique pour être atteint, tu peux être la prochaine victime. C'est une de ces maladies que l'on propage pour éradiquer la race humaine de la surface de la Terre.

J'essaie de l'interrompre lorsque son débit de parole s'accélère sans qu'il ait pour autant la force de le soutenir.

Mais il n'y a plus de race humaine, ou alors je ne comprends plus rien à ce qui se passe, et en disant cela, il s'esclaffe, jusqu'à s'en étrangler.

Luiz, Luiz, dis-je calmement, en lui offrant un mouchoir en papier que je tire de mon sac. Écoute-moi, il faut que tu ailles à l'hôpital. Je vais t'amener au dispensaire, ensuite nous aviserons. *Non, pas tout de suite*, murmure-t-il. Écoute, fillette, je dois te dire quelque chose. Il serre alors très fort ma main. *Je ne serais pas en paix tant que je ne te l'aurais pas dit. J'aurais dû le faire avant,* dit-il angoissé, entre deux suffocations. N'aie crainte, tu peux me le dire quand tu voudras, fais-le plus tard, il n'y a aucune urgence. J'essaie de le calmer. *Écoute-moi, Alice.*

Il m'appelle comme ça et la pitié qui remplit mes yeux de larmes m'empêche de le contredire. *Betina a dû prendre la fuite. Je lui réponds que je ne savais pas qu'elle lui avait parlé. Si, ma chérie, si. Et qu'est-ce qu'elle t'a dit ? Elle a dû prendre la fuite après avoir aidé illégalement certaines femmes. Les femmes du parti sont persécutées. C'est une véritable chasse aux sorcières. Elle va avoir besoin d'aide, Alice.* Pour cela, j'ai besoin de savoir où elle est, Luiz. Il répond à côté. *Depuis le début, elle voulait connaître sa mère. Elle avait bon espoir de la rencontrer.*

Et elle t'a rencontrée toi, Alice. Oui, Luiz, je sais. Je lui dis qu'aujourd'hui encore, j'ai dû mal à réaliser l'existence de Betina, et en disant cela je lui permets de se reposer une seconde. Il aurait vraiment fallu que la vie ne se transforme pas dans cette fiction, lui dis-je. Écoute, Alice, ça va être difficile pour moi de t'appeler Lúcia, excuse-moi. D'accord, Luiz, appelle-moi comme tu veux, je lui parle en sachant pertinemment que je ne pourrais bientôt plus le faire. *Cela me coûte de dire ce que je vais te dire. Alors écoute, ma chérie, écoute-moi bien. Betina est loin. Elle m'a appelé hier, elle était très inquiète. Elle ne peut pas revenir.* J'imagine bien, Luiz. Je le console comme si cette nouvelle ne me troublait pas. Garde ton calme, s'il te plaît, on va t'emmener chez le médecin.

Elle est au courant de tout, insiste-t-il, en peinant pour prononcer ces paroles, faute de salive. Je m'efforce d'essayer de comprendre ce qu'il veut dire et je décide d'obtenir la confirmation de ce que j'ai toujours pensé. *Donne-moi un peu d'eau, Alice.* Luiz, je vais en chercher dehors. Attends un peu, je reviens de suite. *Non, attends, écoute, écoute-moi. Betina sait tout à ton sujet.* Je m'en doute bien, Luiz, elle a dû faire le lien entre les divers éléments. Elle croit qu'Adriana est vivante et que d'une certaine manière je lui mens, elle croit que je lui cache l'endroit où elle a trouvé refuge. Je lui dis cela pour ne pas le heurter, et en même temps, je ramasse le sac que j'ai laissé par terre et je sors chercher de l'eau. *Elle a découvert qu'Adriana était enterrée dans la tombe d'Alice.*

J'avais moi-même oublié cela, d'une certaine manière. Je n'aurais jamais cru que Betina demanderait une autopsie du corps enterré. Je le préviens que je vais chercher de l'eau pendant qu'il murmure des paroles délirantes, parmi lesquelles la révélation qu'il vient de me faire. *Tu sais comment c'était à l'époque, Alice.* Les gens mouraient et leurs assassins disparaissaient avec leurs corps. *Rien n'a changé, chérie.* Je m'aperçois qu'il délire et je lui demande de m'attendre un peu, le temps d'aller chercher de l'eau.

Tu n'as toujours pas compris, Alice, dit-il en essayant de mouiller sa langue sèche qu'il passe sur ses lèvres encore plus sèches, et en me regardant fixement dans les yeux. Si, j'ai compris, Luiz. C'est peut-être toi qui n'as pas compris. Maintenant écoute ce que je vais te dire. Adriana n'est pas la mère de Betina, sa mère, c'est moi. J'ai appris dans l'infirmerie de la prison, après les séances de torture, qu'on n'avait pas noyé mon fils. Mais ce n'était pas un garçon, c'était une fille, Luiz. Et cet enfant revient maintenant vers moi, sous les traits de Betina. C'est fascinant, Luiz. Je lui dis ce que je n'ai jamais eu le courage de dire, ne serait-ce qu'à moi-même.

Il retrousse les lèvres, en signe de désespoir. Mon cœur se met à battre la chamade, lorsque je m'avise que Luiz peut mourir à tout instant, mes mains suent autant que les siennes. *Alice, tu sais qu'Adriana a été enterrée sous ton identité. On lui a coupé la tête, les mains et les pieds, comme on l'a fait pour Rosa Luxembourg. La mort ressemble à la personne qu'elle emporte.* Il me dit tout cela et je me demande où il veut en venir avec cette histoire absurde. Je me dis que c'est l'imminence de la mort qui le fait délirer.

Je lui révèle que Manoel ne m'a jamais dit cela. *Manoel savait tout, Lúcia. C'est lui qui a trouvé la tombe. Il était amoureux d'Adriana, tu le sais.* Il a récupéré sa tête, qui était aux mains des militaires qui l'ont torturée. C'est pour cela qu'il est devenu fou. Il a commencé à boire non seulement pour oublier, mais également pour se détruire. Il se sentait coupable. J'écoute en pensant à ce qu'il me dit dans son délire, il est presque mort et il se trompe lui-même pour pouvoir vivre encore quelques minutes. Manoel ne m'a jamais rien dit pendant toutes ces années, Luiz, tu exagères. Adriana n'a jamais mentionné un petit ami, un flirt, personne, à l'époque. Manoel et Adriana se connaissaient à peine, lui dis-je pour interrompre son délire.

Alice, Manoel n'aurait jamais rien dit, ne sois pas bête. C'était un infiltré qui est tombé amoureux d'Adriana ; c'était un comparse de León, avec qui tu avais une liaison. Le père de Manoel était un général important. Tu dois te souvenir du général Malafaia, qui serait devenu président s'il n'avait pas été tué par un garçon dans un appartement de Copacabana à Rio de Janeiro. Le général s'offrait les services de ce garçon ce soir-là, comme on l'a appris par la suite.

Manoel a fui à la mort de son père. Il a dit à tout le monde qu'il allait chercher une communiste à Lisbonne. La communiste, c'était toi. Il a demandé la tête d'Adriana, qu'on avait coupé à la demande de son père. C'était une chose qui ne se faisait pas, mais cette fois, on avait procédé ainsi. C'était un raffinement morbide, une attitude abjecte. Il a enterré la tête avec le corps. Cela n'a pas été une opération facile parce que le cercueil est resté fermé, de la sortie des pompes funèbres à l'arrivée au cimetière. Le corps a été abandonné dans le parc Ibirapuera pour dépister. Il était sans tête. Ce jour-là, Manoel a commencé à devenir fou. Avant c'était seulement une personne veule. J'avoue que la folie lui a conféré une forme d'âme.

Tu as été le prétexte pour quelque chose que j'ai mis du temps à comprendre. La veille de son suicide, il m'a donné rendez-vous dans une cafétéria de la rue Sete de Setembro, où nous avions déjà bavardé quelques fois depuis votre retour au Brésil. Il se sentait bien, il pensait vivre encore quelques mois. Il se disait que je pouvais écouter sa confession, vu que j'avais été curé autrefois. Curé un jour, curé toujours, disait-il. Tu te trompes, Luiz, lui dis-je, préoccupée voire effrayée par ce qu'il me dit. Manoel était communiste, c'était un héros pour beaucoup. Il enseignait l'histoire de l'Amérique Latine aux jeunes Espagnols.

Non, Alice, c'était un lâche. Il t'a utilisée comme alibi. Il cohabitait avec nous par obligation, il a fini par tomber amoureux d'Adriana, comme beaucoup à cette époque, hommes, femmes, curés, moines, nonnes. Tout le monde aimait Adriana. À cet instant, Luiz a éclaté de rire. *Jeune, Manoel était malheureux, fils d'un général qui n'assumait pas son homosexualité – comment pouvait-il en être autrement à cette époque-là – et qui exigeait de lui une attitude de super mâle. Il a dû compenser la masculinité défaillante du père en devenant monstrueux, mauvais, cruel, paranoïaque. Le père de Manoel était tiraillé entre l'uniforme et la robe,* dit Luiz en riant. *Manoel souffrait, Alice. J'avais pitié de lui. Mon côté curé ne m'a jamais quitté, même après avoir mis la soutane au placard et m'être vautré dans la débauche la plus délicieuse. Moi aussi j'avais pitié du vieux. Il a été retrouvé mort, en petite culotte et soutien-gorge, une perruque blonde jonchant le sol à côté du lit. Quelle vie triste, il se mettait même du rouge à lèvre. Manoel ne t'aurait jamais raconté cela. Bien évidemment que non. C'était un moraliste, un traître éhonté. Il ne soutenait pas le régime, sinon à travers son père, et il n'était pas non plus de notre côté. C'était seulement une marionnette dans les mains de son père. Il est tombé amoureux d'Adriana et il a entrepris de te retrouver dès qu'elle n'a plus existé. Il est parti à ta recherche parce qu'il ne voulait pas que tu reviennes et que tu comprennes tout. Quelqu'un devait rester dans l'illusion que les choses n'étaient pas exactement comme cela.*

Je reste muette.

Manoel était un lâche de plus parmi tant d'autres qu'on rencontre au milieu des batailles qu'on livre au quotidien. Les traîtres sont légion, Alice, et Manoel était le plus grand des lâches, il nous a tous livrés à León et il croyait que je préserverais Adriana. Je ne sais pas quel type de vie tu as mené avec lui, mais ta sœur n'aurait jamais accepté un homme qui a passé sa vie à mentir et à fuir, et qui pour finir s'est réfugié dans la boisson. Il est tellement faible que même dans la lâcheté, il n'arrive pas à être constant. Adriana était une jeune femme adorable. Elle ne l'aurait jamais accepté, Alice. Elle ne l'aurait jamais accepté.

Luiz respire avec difficulté. J'ai peur qu'il ne meure de fatigue, à force de tant d'effort pour parler, la bouche sèche, comme s'il devait mâcher du fer. Malgré tout, je le vois se lécher les lèvres, je lui demande ce qu'il sait encore et que je ne sais pas.

Il est fatigué et il s'arrête de parler. Je vais à la cuisine, prends un verre en plastique, le remplis avec de l'eau du robinet. Les kilos de chlore versés dans le réservoir mort pour tuer les bactéries et qui finiront par nous tuer transforme l'eau en un liquide blanchâtre. En quelques secondes, la coloration s'améliore et je donne le liquide à boire à Luiz, qui n'a pas assez de force pour tenir le verre dans sa main. Je le tiens par la nuque et porte le verre à sa bouche. Il boit l'eau, me regarde et me dit que, *même si nous n'avons aucune certitude sur les dates, Adriana est morte sans avoir vu Betina. Ils lui ont enlevé sa fille dès qu'elle est née.* Je lui répète que Betina ne peut pas être la fille d'Adriana. Betina est ma fille et je vais enfin pouvoir le lui expliquer.

Tu n'es pas la mère de Betina, Alice. Elle a été sauvée parce que Manoel a organisé son exfiltration ; en fin de compte, c'était sa propre fille. La lame ultrafine d'un couteau me traverse du sommet de la tête à la base du sexe, me partageant en deux. Il ouvre les yeux et m'adresse un sourire, les lèvres collées. Il me montre alors ses dents, et rit d'une manière perverse, en s'esclaffant avec le manque de force d'un demi-mort. *Alice, ne fais pas semblant de ne pas comprendre,* crie-t-il presque, à la manière étrange d'une marionnette. *Ne m'inflige pas cela, je suis à l'article de la mort,* dit-il en riant comme un fou. Il me fait peur et je souris calmement, revenant à la réalité la plus dure.

Tu te souviens du jour où vous avez été arrêtées et jetées toutes les deux dans le coffre de la voiture. Il est impossible que tu ne t'en souviennes pas. Adriana avait appris qu'elle était enceinte. Un de nos compagnons était mort et elle était sous le choc. Je vous ai vues lorsqu'on vous a enfermées dans le coffre. Toutes les deux. Je pensais qu'on vous avait tuées. Tout le monde le croyait. Je ne pouvais rien faire. Personne ne pouvait rien faire. J'ai eu de la peine pour tes parents, qui perdaient deux de leurs enfants d'un seul coup.

Je suis moi-même allé dire à ta mère que tu étais morte et qu'Adriana avait fui avec l'aide de Manoel. J'ai dû donner raison à Manoel lorsqu'il m'a amené Betina, alors à peine âgée d'un an, et m'a demandé de remettre l'enfant à tes parents. C'était vraiment cruel vis-à-vis d'eux, ton père était déjà vieux. Ta mère m'a pris dans ses bras pendant que ton père marchait en direction de la chambre sans prendre congé de moi.

Il parle mais ne dit rien, j'entends mais je n'écoute pas.

Je tremblais dans le taxi, dans mes bras le bébé qui pleurait. J'avais de la chance qu'à l'époque on ne pensait pas à mal, lorsqu'on voyait un curé avec un bébé dans les bras. Aujourd'hui un homme en soutane dans cette situation serait immédiatement arrêté. Tes parents ont déménagé juste après avec l'enfant à Bom Jesus, la petite ville dont vous étiez originaires.

Luiz rit perversement, mon corps se fige. *Betina sait tout, Alice. La seule chose qu'elle ne sait pas, c'est que tu ne sais rien. On t'a trompée et j'ai de la peine pour toi. J'ai plus de peine pour toi que pour moi maintenant. Parce que je m'en vais et que toi tu vas devoir affronter ce monde.*

Encore un dernier détail. Écoute-moi. Manoel m'a dit qu'il m'avait remis l'enfant parce qu'il avait dû livrer Adriana, et elle a fini par mourir de la pire manière. Heureusement qu'il est mort et que je peux tout te dire. S'il était apparu avant, il t'aurait tuée et évidemment il ne se serait pas marié avec toi.

Mes pieds sont rivés au sol. Les yeux fermés, Luiz me demande un peu plus de temps. *Ne pars pas Alice. Donne-moi encore un peu d'eau,* demande-t-il sans quasiment arriver à parler. Je lui donne une dernière gorgée. Il avale de travers, s'étrangle, cesse de respirer, mais sans douleur, sans un gémissement, sans un cri. L'eau coule de sa bouche et mouille l'oreiller sale.

Je sors de l'appartement sans fermer la porte. Avec de la chance, quelqu'un trouvera le cadavre avant qu'il ne pourrisse.

* * *

J'enveloppe mon corps dans un sang amer en putréfaction, comme si j'étais morte et que mon cadavre n'avait pas été ramassé. Je le transporte avec le peu de force qui me reste depuis une époque à peine vécue qui ne cesse de se répéter.

Je me dirige vers chez moi avec la certitude qu'en marchant lentement j'arriverai au bout du chemin, je saisis la pesante urne en argile qui contient les cendres de Manoel et je gagne la rivière Pinheiros, ou plutôt ce qui un jour a été cette rivière. Maintenant c'est un trou où nichent les rats au milieu des ordures qui s'accumulent. Je lâche l'urne avec les cendres de Manoel. Elle roule vers le bas et se brise en heurtant une pierre au milieu du trajet.

J'ai joué le rôle de la femme de Manoel jusqu'à sa mort. Je remplis une partie de l'accord tacite qui est à la base de toute vie de couple en m'occupant de chaque détail. J'accomplis d'abord les tâches les plus évidentes qui consistent à lui apporter un verre d'eau, à faire le lit, à laver la vaisselle, à ranger toute la maison, à garder le linge propre, à approvisionner le foyer en aliments, après quoi je sors les poubelles, ramenant les ordures là d'où elles viennent.

Je m'abandonne à mon destin, comme ma mère s'est abandonnée au sien, comme chaque femme a l'habitude de le faire, tout en sachant que le fait de vivre avec un lâche, comme c'est mon cas, la transforme automatiquement en lâche. Il leur en reste toujours quelque chose. Nous sommes les tributaires de ces hommes qui font de nous de la viande d'abattoir, des bêtes de somme, animaux épuisés, qui survivent comme force de travail à bon marché, et qui sont finalement tuées et mangées, également par la vermine. Après le travail que j'ai fourni toute ma vie en échange du couvert et du gîte, j'effectue ma dernière tâche.

Je pense alors que j'ai accompagné Manoel jusqu'à la fin parce que j'avais renoncé à lui dès le début. Je me dis que j'ai effacé tout le monde de ma vie et que personne ne me parlera plus, et comme de fait personne ne m'a jamais plus parlé, et qu'il n'a jamais démenti ses actes, j'appréhende sa mort comme une partie essentielle de ce que j'appelle liberté.

**

Je rentre chez moi disposée à discuter avec Betina, coûte que coûte, pour connaître la vérité une bonne fois pour toutes, même si par la suite il me faut partir en Chine avec João.

Je me lave le visage et les mains, avant de parler avec le garçonnet, qui prépare sa valise dans sa chambre.

Il me dit que sa mère a téléphoné et qu'elle lui a donné sa nouvelle adresse. Il me dit qu'à cette heure, la gare routière est moins remplie. Trois jours de voyage en perspective.

Mon univers s'effondre. Trois jours de bus, c'est dangereux pour un petit garçon.

Il faut qu'on prenne de l'argent sur nous, Lúcia, et un sac rempli de fruits, et aussi de l'eau. Il m'explique que tout ça est bien trop cher dans les boutiques de la gare routière.

Je ne comprends pas. Je lui demande où nous allons. Il me dit que c'est un secret, mais que nous serons étrangement heureux cette fois.

*Remerciements : à Rubens,
pour la lecture attentive de mon manuscrit.*

Conception et réalisation éditoriale :
Marcia Tiburi
Simone Paulino
Gabriela Castro

Traduction : Stéphane Chao
Lecture critique : Izabella Borges
Relecture : Raquel Camargo

Conception graphique : Bloco Gráfico
Production graphique : Marina Ambrasas

Assistantes éditoriales : Gabriel Paulino, Renata de Sá
Assistante de conception graphique : Stephanie Y. Shu
Assistante commerciale : Lohanne Villela
Assistant marketing : Michelle Henriques

Dépot légal : Août 2022
Imprimé en Brèsil par Ipsis
N° d'editeur 494346
—
ISBN [FRANCE] 978-2-494346-00-0
ISBN [BRASIL] 978-65-86135-92-3